LLUNIAU LLAFAR

IDIOMS FOR WELSH LEARNERS

CENNARD DAVIES

ANIFEILIAID
LLIWIAU
RHANNAU'R CORFF

GWASG GOMER
LLANDYSUL
1980

Argraffiad Cyntaf - Mehefin 1980
Ail Argraffiad - Chwefror 1983
Trydydd Argraffiad - 1992
Pedwerydd Argraffiad - 1996

ISBN 0 85088 782 8

ARGRAFFWYD GAN J. D. LEWIS A'I FEIBION CYF.,
GWASG GOMER, LLANDYSUL

RHAGAIR

Cyfoeth unigryw y Gymraeg, fel pob iaith arall o ran hynny, yw ei phriodddulliau. Y rhain sy'n ddrych o fyd y Cymro ac yn fynegiant o'i ffordd gwbl arbennig o edrych ar y byd hwnnw. Yn amlach na pheidio, maent yn anghyfieithadwy yn llythrennol ac mae llawer ohonynt yn gyfyngedig hefyd i fro neu ranbarth neilltuol.

Fel arfer, mae idiomau'n broblem i'r dysgwyr am eu bod yn gwrthod cydymffurfio â phatrymau rheolaidd, ond maent hefyd yn her am eu bod, rywsut, yn costrelu rhin yr iaith. Felly, wrth gyflwyno Cymraeg llafar safonol rhaid i'r athro hefyd godi cwr y llen ar y cymariaethau a'r dywediadau bachog hynny sy'n gymaint rhan o gynhysgaeth ieithyddol pob Cymro diwylliedig.

Er taw priod-ddulliau'n ymwneud â thri phwnc yn unig, sef, anifeiliaid, lliwiau a rhannau'r corff a geir yn y gyfrol hon, gwelir pa mor gyfoethog ei hidiomau yw'r iaith Gymraeg. Wrth ddweud hynny, sylweddolaf na fydd awdur byth yn fodlon ar ei waith gan fod enghreifftiau newydd yn brigo i'r wyneb yn feunyddiol i ddannod iddo pa mor anghyflawn yw ei gasgliad. Mae mawr angen casgliad safonol o briod-ddulliau arnom yn y Gymraeg a all fod yn ffynhonnell ddibynadwy i ysgrifenwyr ac athrawon gan gynnwys athrawon ail-iaith.

At ddysgwyr yn bennaf yr anelir y llyfr hwn. Dyna pam y gallaf wrthddweud fy hun heb falio botwm corn a chynnig trosiad llythrennol o rai idiomau lle nad oes cyfatebiaeth amlwg rhwng eu hystyr yn y Gymraeg a'r Saesneg, gan fy mod yn gwybod o hen brofiad y bydd y dysgwyr yn plagio enaid athro nes cael gwybod beth yn union yw ystyr llythrennol y geiriau. Am yr un rheswm ymgroesais rhag dyfynnu enghreifftiau llenyddol wrth ymwneud â rhai y mae eu prif ddiddordeb yn yr iaith lafar.

Cydnabyddaf fy nyled i *Geiriadur Prifysgol Cymru* ; *Cymraeg Idiomatig*, C. P. Cule (D. Brown a'i Feibion, 1971) ; *Llyfr o Idiomau Cymraeg*, R. E. Jones (Gwasg John Penry, 1975) ; *Dawn Ymadrodd*, Mary Wiliam (Gwasg Gomer, 1978), a *Dywediadau Cefn Gwlad*, Owen John Jones (Gwasg Gee, 1977).

Yn bennaf, fodd bynnag, carwn ddiolch i'm cyd-weithwyr Islwyn ac Ann Jones ynghyd â Nan Griffiths a fu mor garedig â darllen y llawysgrif wreiddiol ac awgrymu nifer o briod-ddulliau y dylid eu cynnwys yn ogystal â chynnig llawer o welliannau.

Yn olaf, rwy'n ddyledus i gyfarwyddwyr a staff Gwasg Gomer am eu cefnogaeth arferol ac am y gofal a roed i'r argraffwaith.

ANIFEILIAID

ADERYN (a bird)

aderyn brith   :   a shady character
a speckled bird

> Roedd yr heddlu'n cadw golwg ar y dyn am ei fod e'n aderyn brith.
> The police were keeping an eye on the man as he was a shady character.

aderyn dieithr   :   a stranger ; not a native
a strange bird

> Roeddwn i'n 'nabod pawb yn y parti ond un aderyn dieithr oedd yn y cornel.
> I knew everybody in the party except for one stranger in the corner.

aderyn drycin   :   a stormy petrel ; someone who enjoys a quarrel
a foul weather bird

> Aderyn drycin yw Dewi. Mae e wrth ei fodd mewn ffrae.
> Dewi is a stormy petrel. He is in his element in a quarrel.

aderyn du   :   a bad egg ; a person of bad character
a black bird

> Erbyn hyn mae e'n un o golofnau'r gymdeithas er iddo fod yn aderyn du yn ei ieuenctid.
> By now he is one of the pillars of the community although he was a bad egg in his youth.

aderyn y nos   :   a person who likes staying out late
a night bird

> Dydw i ddim yn hoffi mynd i'r gwely'n gynnar. Aderyn y nos ydw i.
> I don't like going to bed early. I'm a night-bird

esgidiau dal adar : a facetious term for light footwear ; fancy shoes ;
bird-catching boots flimsy shoes.

> Paid â mynd i weithio i'r ardd yn yr esgidiau dal adar 'na.
> Don't go to work in the garden in those flimsy shoes.

fel aderyn bach mewn llaw : nervous, frightened
like a small bird in a hand

> Pan aeth hi o flaen y pwyllgor roedd hi'n ofnus fel 'deryn bach mewn llaw.
> When she went before the committee she was very nervous.

llond llygad 'deryn : a very small amount
a bird's eye full

> Dim ond llond llygad 'deryn roedd hi'n ei fwyta pan oedd hi'n dost.
> She only ate a very small amount when she was ill.

yn aderyn (yn dderyn) : a bit of a lad ; a person who is full of fun ;
sometimes a womanizer.

> Rydw i bob amser yn chwerthin yng nghwmni Twm. On'd ydy e'n dderyn !
> I always laugh in Twm's company. Isn't he a lad !

ARTH (a bear)

arth o ddyn : a rough, ignorant person
a bear-like man

> Mae hi'n serchus bob amser ond arth o ddyn yw ei gŵr.
> She's always pleasant but her husband is an ignorant man.

BARCUT (a kite)

llygad barcut : a very keen eye
a kite's eye

> Gwyliodd y plismon symudiadau'r lleidr â llygad barcut.
> The policeman watched the thief's movements with a very keen eye.

8

BLAIDD (a wolf)

blaidd mewn croen dafad : a wolf in sheep's clothing ; a foe posing as
a wolf in a sheep's skin   a friend.

> Awgrymodd y dyn ei fod am fy helpu ond gwnaeth ddrwg imi.
> Roedd e'n flaidd mewn croen dafad.
> The man suggested that he wanted to help me but he did me harm.
> He was a wolf in sheep's clothing.

yn flaidd : formerly used figuratively for a hero ; a lion

> Roedd y tywysog yn flaidd yn y frwydr.
> The prince was a lion in the fray.

BRÂN (a crow)

brensiach y brain ! : good gracious !

> Brensiach y brain ! Dyma le !
> Good gracious ! What a place !

bwgan brain : a scarecrow

> Fe roiodd y ffermwr fwgan brain yn y cae.
> The farmer placed a scarecrow in the field.

fel traed brain : very untidy (especially of writing)
like crow's feet

> Mae ei ysgrifen fel traed brain ar y tudalen.
> His writing is extremely untidy on the page.

fel yr hed brân (fel yr hed y frân) : as the crow flies ; in a straight
     line.

> Tair milltir yw Nant-y-moel o Dreorci fel yr hed brân.
> Nant-y-moel is three miles from Treorci as the crow flies.

llais fel brân : a raucous voice
a voice like a crow

> Doedd e ddim yn y côr am fod ganddo lais fel brân.
> He wasn't in the choir as he had a terrible voice.

9

mae brân i frân yn rhywle : there's a partner for everyone somewhere
there's a crow for a crow somewhere

>Dydw i ddim yn credu y priodiff Sam. Ond pwy a ŵyr gan fod brân i frân yn rhywle.
>I don't think that Sam will marry. But who can tell as there's a partner for everybody, somewhere.

myn brain i ! : a mild oath ; Stone the crows !

>Myn brain i, mae e'n mynd i ennill !
>Good gracious, he's going to win !

rhwng y cŵn a'r brain : going to rack and ruin ; going downhill (of a
between the dogs and the business)
crows

>Dydy'r hen ŵr ddim yn gofalu am y fferm ac mae hi'n mynd rhwng y cŵn a'r brain.
>The old man isn't looking after the farm and it's going to rack and ruin.

y frân wen : a mythological bird said to carry tales about a child's
the white crow misbehaviour to its parents

>Fe glywais gan y frân wen dy fod ti wedi torri ffenest Mrs. Jones.
>I heard from a little bird that you broke Mrs. Jones's window.

ym mhig y frân : under the most difficult circumstances
in the crow's beak

>Faint bynnag y newidiai hi ei hymddangosiad, fe fyddwn yn ei 'nabod ym mhig y frân.
>However much she changed her appearance, I would recognise her under the most difficult circumstances.

yn byw lle mae'r brain yn marw : to live sparingly ; frugal ; mean
living where the crows die

>Dyna un cybyddlyd yw Tom ! Fe fyddai e'n gallu byw lle mae'r brain yn marw.
>What a mean one Tom is ! He'd live on nothing at all.

yn ddigon oer i rewi (sythu) brain : extremely cold
cold enough to freeze crows

>Bu hi'n ddigon oer i rewi brain heddiw.
>It has been extremely cold today.

yn ddu fel y frân : as black as the raven ; extremely black
black like the crow

>Mae ei gwallt hi'n ddu fel y frân.
>Her hair is extremely black.

BRITHYLL (a trout)

mor llon â brithyll : extremely happy ; as happy as a sandboy
as happy as a trout

>Roedd y bachgen bach mor llon â brithyll yn chwarae yn y cae.
>The little boy was extremely happy playing in the field.

twyllo hen frithyllod : to deceive an experienced person ; wise old
to deceive old trout   heads

>Bydd eisiau rhywun llawer mwy galluog na fe i dwyllo rhai o'r hen frithyllod sydd ar y pwyllgor.
>It will take someone far cleverer than him to deceive some of the wise old heads on the committee.

BUWCH (a cow)

cic i'r post i'r fuwch gael clywed : a broad hint ; to hint indirectly
kicking the post for the cow to feel it

>Rhoi cic i'r post i'r fuwch gael clywed yr oedd y rheolwr pan ofynnodd i Tom ddod yn gynnar gan fod rhai o'i ffrindiau a wrandawai ar y sgwrs yn hwyr bob bore.
>The manager was dropping a hint when he asked Tom to come early because some of his friends who were listening to the conversation came late every morning.

cnoi cil : to think over ; to mull over
to chew the cud

> Ga' i amser i gnoi cil ar eich cynnig ?
> May I have time to consider your offer ?

fel bol buwch ddu : extremely dark
like a black cow's belly

> Doedd dim golau yn y stryd ac roedd hi'n dywyll fel bola buwch ddu.
> There was no light in the street and it was extremely dark.

fel buwch a llo bach : sloppy (especially of a courting couple)
like a cow and a calf

> Roedd y bachgen a'r ferch fel buwch a llo bach yn rhes gefn y sinema.
> The boy and girl were acting sloppily in the back row of the cinema.

fel buwch wrth bost : confined ; tied ; not free to go
like a cow at a tethering post

> Rydw i yma'n gofalu am y plant bob nos fel buwch wrth bost tra dy fod ti allan yn yfed.
> I'm here looking after the children every night, confined to the house, whilst you are out drinking.

fel cynffon buwch : late ; always behind everybody else
like a cow's tail

> Mae e bob amser yn dod yn hwyr i'r ysgol fel cynffon buwch.
> He is always late coming to school after everyone else.

llyfiad buwch (also, "llyfiad llo") : a lick and a promise
a cow's lick (a calf's lick)

> Doedd dim cyfle i ymolchi'n iawn y bore 'ma. Dim ond llyfiad buwch ges i.
> I didn't have a chance to wash properly this morning, only a lick and a promise !

BWCH (a billygoat)

bwch dihangol : a scapegoat
> Nid Dewi ei hun dorrodd y ffenest, ond gan taw ef oedd y bwch dihangol, fe gafodd y bai.
> Dewi himself didn't break the window but as he was the scapegoat, he had the blame.

CACYNEN/CACWN (a wasp/wasps)

fel cacynen mewn bys coch : continually grumbling and complaining
like a wasp in a foxglove
> Fe fyddai hi'n cwyno drwy'r dydd fel cacynen mewn bys coch.
> She would grumble continually throughout the day.

tynnu nyth cacwn am fy mhen/ : to do or say something which
cicio nyth cacwn arouses the anger of a lot of
to pull a wasp's nest on my head/ people at the same time
to kick a wasp's nest
> Tynnais nyth cacwn am fy mhen drwy feirniadu Lloegr gan fod llawer o Saeson yn bresennol.
> I ran into vehement opposition by criticising England as there were many English people present.

yn gacwn gwyllt/yn gwylltio'n gacwn : to suddenly become extremely
wasp-mad ; to become angry like a wasp angry
> Fe aeth e'n gacwn gwyllt pan giciwyd e gan un o'r tîm arall.
> He went beserk when he was kicked by one of the opposing team.

CADNO/LLWYNOG (a fox)

cadno o ddiwrnod : a day when the weather is unsettled and changes
a fox-like day suddenly
> Cadno o ddiwrnod oedd e. Fe ddechreuodd yn braf ond cyn hanner dydd fe gawson ni law trwm.
> It was a deceptive day. It began fine but before midday we had heavy rain.

cysgu llwynog : being half asleep ; dozing ; pretending to be asleep
a fox's sleep

> Dim ond cysgu llwynog yr oedd e a gallai glywed pob gair o'r sgwrs.
> He was only dozing and he could hear every word of the conversation.

mynd ar drot cadno : to go without a care in the world ; unconcerned
going at a fox-trot

> Roedd hi'n braf ac aeth Dafydd ar drot cadno ar draws y caeau i gwrdd â'i ffrindiau.
> It was a fine morning and Dafydd went without a care in the world across the fields to meet his friends

ymhell mae llwynog yn lladd : to search for a sweetheart away from
the fox kills afar   one's district

> Mae e'n caru â merch o'r sir nesaf. Ond dyna fe, ymhell mae llwynog yn lladd.
> He is courting a girl from the next county. But there you are, the fox kills far from home.

yn gadno (also, "hen lwynog") : a sly, cunning person

> Fe ddaeth Tom i mewn i'r eisteddfod drwy ddrws cefn heb dalu. Dyna gadno yw e !
> Tom came into the eisteddfod through a back door without paying. What a cunning one he is !

yn gyfrwys fel llwynog : very cunning
cunning like a fox

> Er bod y dyn yn wan, roedd e'n gyfrwys fel llwynog.
> Although the man was weak, he was very cunning.

CANERI (a canary)

bwyd caneri : a small amount of food
a canary's food

> Dim ond bwyd caneri fwytai hi ond roedd hi'n dew iawn.
> She only ate a small amount but she was very fat.

gobaith caneri : no hope at all ; hopeless. (The saying derives from the
a canary's hope practice of taking a canary underground in coalmines
to test for gas)

Mae e'n rhedwr da ond does dim gobaith caneri ganddo yn erbyn
y pencampwr.
He's a good runner but he hasn't a snowball's chance in hell
against the champion.

CARLWM (a stoat)

cyn wynned â charlwm (also, "fel y carlwm") : extremely white
as white as a stoat

Roedd y gath fach cyn wynned â charlwm.
The kitten was extremely white.

CASEG (a mare)

caseg eira : a very large snowball ; used figuratively for something
which increases rapidly in size

Dim ond ychydig o arian oedd ganddo i ddechrau ond tyfodd ei
ffortiwn fel caseg eira.
He only had a small amount of money to begin with but his
fortune increased rapidly.

caseg fedi : a harvest queen or doll ; a corn dolly ; the last tuft of corn
carried from the field to the farmhouse

Teimlai pawb yn hapus pan ddaeth y ffermwr â'r gaseg fedi i'r tŷ
gan wybod bod gwaith y cynhaeaf wedi dod i ben.
Everyone felt happy when the farmer brought the corn dolly into
the house, knowing that the harvest work was over.

CATH (a cat)

blingo'r gath hyd at ei chynffon : to spend all one's money extrava-
skinning the cat to its tail gantly

Penderfynais gael amser da yn Llundain a blingo'r gath hyd at ei
chynffon.
I decided to have a good time in London and spend my money to
the last penny.

15

cadw cathod mewn cwd : to leave someone undisturbed ; to let
to keep cats in a bag   sleeping dogs lie

> Fyddwn i ddim yn hoffi cynhyrfu'r bobl drws nesaf. Mae'n well cadw cathod mewn cwd.
> I wouldn't like to disturb the people next door. It's better to let sleeping dogs lie.

cael cathod bach : to be extremely frightened ; to have kittens

> Fe gawson nhw gathod bach pan welson nhw'r plismon yn dod.
> They were extremely frightened when they saw the policeman coming.

clywed fel cath : very acute hearing
to hear like a cat

> Mae rhaid ei fod e'n clywed fel cath i wybod bod rhywun yn cerdded at y tŷ.
> He must have exceptional hearing to know that someone was walking towards the house.

cyn wanned â chath (fach) : very weak ; as weak as a kitten

> Ar ôl dod o'r ysbyty teimlais cyn wanned â chath.
> After coming from hospital I felt as weak as a kitten.

cyn wynned â chath fach wedi ei boddi mewn enwyn : extremely
as white as a kitten drowned in buttermilk   white

> Roedd y plentyn a ddaeth i mewn o'r eira cyn wynned â chath fach wedi'i boddi mewn enwyn.
> The child that came into the house from the snow was extremely white.

chwipio'r gath : going from house to house to carry out work (usually
whipping the cat   tailoring)

> Bu Dafydd Jones y teiliwr yn chwipio'r gath drwy Sir Aberteifi yn yr hen amser.
> Dafydd Jones the tailor used to go working from house to house in Cardiganshire in the old days.

dandwn y gath : of someone whose arms are folded over his chest
to pamper the cat
> Mae e bob amser yn dandwn y gath wrth ddysgu'r dosbarth.
> He always folds his arms over his chest when he is teaching the class.

edrychwch beth mae'r gath : said of a surprise visitor ; look what the
wedi ei lusgo i mewn : wind has blown in
look what the cat has dragged in
> "Edrychwch beth mae'r gath wedi ei lusgo i mewn," ebe Dafydd yn
> syn pan welodd ei frawd o Awstralia wrth y drws.
> "Look what the wind has blown in," said Dafydd in surprise when
> he saw his brother from Australia at the door.

fel cath am laeth : to be extremely fond of something
like cat for milk
> Roedd e'n edrych ymlaen at beint bob nos fel cath am laeth.
> He looked forward avidly to his pint every night.

fel cath ar dân (also, "fel cath o dân") : very quickly; in a great hurry;
like a cat on fire (like a cat from a fire) hell for leather
> Pan welodd e'r plismon fe redodd y bachgen o'r berllan fel cath ar
> dân.
> The boy ran hell for leather from the orchard when he saw the
> policeman.

fel cath i gythraul : to go at a furious pace ; to go like mad
> Fe yrrodd e fel cath i gythraul i gyfeiriad yr ysbyty.
> He drove like mad in the direction of the hospital.

fel cath mewn cortyn : restless and impatient
like a cat in string
> Roedd Siân fel cath mewn cortyn yn aros i'r ffôn ganu.
> Siân was restless and impatient waiting for the telephone to ring.

fel cath yn chwarae â llygoden : to torment, like cat and mouse

Yn lle llorio'i wrthwynebydd unwaith ac am byth roedd y paffiwr yn ei drin fel cath yn chwarae â llygoden.

Instead of flooring his opponent once and for all the boxer tormented him.

gollwng y gath o'r cwd : to give the show away ; to let the cat out of
to release the cat from the bag the bag

Doedd Alun ddim yn sylweddoli nad oedd Siôn Corn yn bod ond gollyngodd ei frawd hynaf y gath o'r cwd.

Alun didn't realise that Father Christmas didn't exist but his eldest brother let the cat out of the bag.

llyfiad cath : a lick and a promise ; an inadequate wash
a cat's lick

Ymolchodd e ddim yn iawn. Dim ond llyfiad cath gafodd e cyn mynd i'r ysgol.

He didn't wash properly. He only had a lick and a promise before going to school.

llygaid cath : extremely sharp eyesight
cat's eyes

Roedd ganddo lygaid cath a sylwodd ar ôl traed yr aderyn yn y llaid.

He had sharp eyes and noticed the bird's footprints in the mud.

mor sych â nyth cath : very dry ; parched
as dry as a cat's nest

Mae fy ngheg mor sych â nyth cath.

My mouth is parched.

naw chwyth (byw) cath : a cat's nine lives
the nine breaths (lives) of a cat

Er iddo fod yn bur wael yn yr ysbyty lawer gwaith, ymddangosai fel petai ganddo naw chwyth cath am iddo wella bob tro.

Although he had been ill in hospital many times it seemed as if he had nine lives like a cat as he recovered each time.

prynu cath mewn cwd : buying something you haven't seen ; buying
buying a cat in a bag a pig in a poke

Er taw prynu cath mewn cwd wnes i wrth brynu car ail-law heb ei weld, roeddwn i'n fodlon iawn ar y fargen.
Although I was buying a pig in a poke in buying a second-hand car without seeing it, I was satisfied with the deal.

troi'r gath yn y badell : to change the subject
turning the cat in the bowl

Pan ddechreuais i holi am yr ysgol fe droiodd hi'r gath yn y badell a siarad am ei thŷ newydd.
When I started asking about the school she changed the subject and spoke of her new house.

CEFFYL (horse)

ar gefn ei geffyl (gwyn) : i) in an awful temper ; on a high horse
on the back of his (white) horse ii) on top of the world ; very well off ; doing well for oneself

i) Roedd y prifathro ar gefn ei geffyl heddiw yn dangos ei awdurdod i bawb.
The headmaster was on his high horse today showing his authority to all.
ii) Fe ddaeth e'n ddyn tlawd i Gymru ond ar ôl llwyddo mewn busnes mae e erbyn hyn ar gefn ei geffyl gwyn.
He came to Wales a poor man but after succeeding in business he is now very well off.

ar gefn ei geffyl cwta : in a bad mood ; in a temper
on the back of his short horse

Fe ddaeth y rheolwr i mewn i'r swyddfa ar gefn ei geffyl cwta.
The manager came into the office in a bad temper.

bwlch yr aiff ceffyl a throl drwyddo : a large gap ; a gaping hole
a gap which a horse and cart could go through

Mae bwlch yr aiff ceffyl a throl drwyddo yn y wal.
There's a large gap in the wall.

ceffyl blaen : one who enjoys being in the limelight
a front/leading horse

Dydy e ddim yn swil o gwbl. Mewn gwirionedd, mae e'n hoffi bod yn geffyl blaen.
He isn't at all shy. In fact, he enjoys being in the limelight.

ceffyl glas : a white horse

Ei uchelgais oedd bod yn filwr ar gefn ceffyl glas.
His ambition was to be a soldier on a white horse.

ceffyl parod : a willing horse ; one who is always prepared to do a job

Cymerai pawb fantais arno am ei fod e'n geffyl parod.
Everybody took advantage of him as he was a willing horse.

ceffylau bach : a roundabout ; a merry-go-round
small horses

Fuoch chi ar y ceffylau bach yn y ffair ?
Did you go on the merry-go-round in the fair ?

cicio fel ceffyl : to kick a great deal

Cafodd yr heddlu drafferth i symud y protestiwr am ei fod e'n cicio fel ceffyl.
The police had difficulty in moving the protester as he was kicking strongly.

fel cachu ceffyl mewn dŵr : to fritter out ; to make no impact
like horse-dung in water

Dechreuodd y cyngerdd yn dda ond gorffennodd fel cachu ceffyl mewn dŵr.
The concert started well but the end made no impact.

fel ceffyl : i) very strong ii) a hearty eater

i) Dydy gwaith trwm ddim yn ei flino fe. Mae e fel ceffyl.
Hard work doesn't tire him. He's very strong.
ii) Ar ôl bod allan yn chwarae roedd y plentyn yn bwyta fel ceffyl.
After being out playing the child ate very heartily.

20

hwi ceffyl benthyg : to misuse someone else's property
gee-up borrowed horse

> Tolciodd hi gar ei thad ar ôl cael ei yrru i'r dref. Ond, dyna fe.
> Hwi, ceffyl benthyg !
> She dented her father's car after being allowed to drive it to town.
> But there you are, people don't take care of borrowed property.

trin ceffyl pobl eraill : to discuss other people's business
to handle somebody else's horse

> Mae Miss Jones wrth ei bodd yn trin ceffyl pobl eraill.
> Miss Jones is in her element discussing other people's business.

CEILIOG (a cockerel)

cam ceiliog/tri cham ceiliog : bit by bit ; by degrees
a cockerel's step/three cockerel's steps

> Mae'r dydd yn ymestyn gam ceiliog ym mis Mawrth.
> The day lengthens by degrees in March.

caniad ceiliog : at cock-crow ; very early in the morning

> Fe godai e bob bore ar ganiad ceiliog.
> He used to get up every morning at cock-crow.

ceiliog dandi : a dandy ; a fop
a dandy-cock

> Roedd e'n edrych yn eithaf ceiliog dandi yn y ddawns yn ei
> ddillad newydd.
> He looked quite a fop in the dance in his new clothes.

ceiliog gwynt : a weather vane
a wind cock

> Welwch chi'r ceiliog gwynt ar dŵr yr eglwys ?
> Do you see the weather-vane on the church tower ?

ceiliogod y colegau : facetious term for cocksure and conceited students *the cocks of the colleges* and graduates

Does dim eisiau i athrawon profiadol fel ni sylwi gormod ar syniadau ceiliogod y colegau.

There's no need for experienced teachers like us to take too much notice of the ideas of cocksure college boys.

cyn goched â chrib ceiliog (cyn goched â cheiliog twrci) *as red as a cock's comb/as red as a turkey cock*

Pan gyhuddwyd y dyn, aeth cyn goched â chrib ceiliog.

When the man was accused, he blushed profusily.

fel ceiliog bantam : belligerent

Er ei fod e'n fach heriai pawb fel ceiliog bantam.

Although he was small he challenged everyone like a cock bantam.

fel ceiliog gwynt : fickle ; undependable *like a weather vane*

Roedd e'n newid ei farn o fis i fis fel ceiliog gwynt.

He was changing his mind from month to month.

mae gwaed y ceiliog yn y cyw : the children have inherited family *the cock's blood is in the chick* traits

(Gweler : Mae natur y cyw yn y cawl.)

CENAWES (a vixen)

hen genawes : an old bitch ; an unpleasant woman *an old vixen*

Er ei bod hi'n edrych yn garedig, hen genawes oedd hi mewn gwirionedd.

Although she looked kind, she was really an old bitch.

CENAU (a cub)

. **cenau/cenawes fach/cenau glas** : a rascal *cub/little cub/young cub*

Tyrd yma, y cenau bach.

Come here, you rascal.

CI (a dog)

allwch chi ddim twyllo ci Mostyn : you can't deceive one who knows
> Does dim eisiau ichi geisio ein dychryn. Allwch chi ddim twyllo ci Mostyn.
> You needn't try to frighten us. You can't deceive an old dog.

byw fel ci a hwch/byw fel cŵn : in a constant state of quarreling ;
a moch/byw fel ci a chath : like cat and dog
*Living like dog and sow/living
like dogs and pigs/living like dog
and cat*
> Mae Tom a Mair yn ffraeo bron bob dydd. Maen nhw'n byw fel ci a hwch.
> Tom and Mair quarrel almost every day. They live like cat and dog.

cadw ci a chyfarth fy hun : doing something which somebody or
keeping a dog and barking oneself something else should do for you
> Er fy mod i'n talu garddwr rhaid imi chwynnu'r gwelyau bob wythnos. Dyna beth yw cadw ci a chyfarth fy hun.
> Although I pay a gardener, I have to weed the beds every week. That's what I call doing a job instead of the person who ought to.

cael bywyd ci : to have a terrible life ; to be treated badly ; a dog's life
> Roedd e'n cael bywyd ci gartref cyn iddo gael ysgariad.
> He was having a dog's life at home before having a divorce.

cael caws o fola ci : to try to obtain the impossible
obtain cheese from a dog's stomach
> Mae ceisio ei gael e i gyfrannu punt i'r achos fel cael caws o fola ci.
> Trying to get him to contribute a pound to the cause is like trying to get the impossible.

ci : a licentious man ; a womaniser ; a wolf
> Hen gi yw e. Mae e'n mynd allan gyda merched eraill er ei fod e'n briod.
> He's a wolf. He goes out with other women although he is married.

ci â'i drwyn wrth y ddaear : one who can smell a bargain
a dog with nose to the ground

> Mae Siôn yn gi â'i drwyn wrth y ddaear mewn marchnad.
> Siôn is one to spot a bargain in a market.

ciaidd : brutal ; vicious

> Roedd y bechgyn mawr yn cicio'r plentyn yn giaidd.
> The big boys were kicking the child viciously.

cyn codi cŵn Caer : very early in the morning
before the dogs of Chester rise

> Bob bore fe fyddai e ar ei draed cyn codi cŵn Caer.
> Every morning he would be up extremely early.

cysgu ci bwtsiwr : to sleep lightly ; to doze
a butcher's dog's sleep

> Ymddangosai fel pe bai'n cysgu ond neidiodd i'w draed wrth imi
> ddod i mewn i'r ystafell. Dim ond cysgu ci bwtsiwr roedd e.
> He seemed to be asleep but he leapt to his feet as I came into the
> room. He was only dozing.

dweud celwydd fel ci'n cerdded : to lie profusely
to lie like a dog walking

> Yn y llys dywedodd y lleidr gelwydd fel ci'n cerdded.
> The thief lied profusely in court.

fel ci bach : one who does as he is told (often by his wife) ; henpecked ;
like a pup   a lackey

> Mae Elwyn fel ci bach gartref yn golchi llestri ac yn gwneud y
> bwyd.
> Elwyn is a lackey at home, washing dishes and making the food.

fel ci yn llyfu ei ddolur : depressed after being disappointed ; licking
like a dog licking its wounds   one's wounds

> Ar ôl i'w chariad droi ei gefn arni roedd hi fel ci yn llyfu ei dolur am
> fisoedd.
> After her sweetheart jilted her she was downhearted for months.

fel twll tin ci ar yr haul   :   dull ; without sparkle
like a dog's arse in the sun
> Mae'r silff-ben-tân yn edrych fel twll tin ci ar yr haul.
> There isn't much sparkle on the mantlepiece.

mynd i'r cŵn   :   going downhill
going to the dogs
> Mae e'n mynd i'r cŵn yn yfed ac yn betio bob dydd.
> He is going to the dogs, drinking and betting every day.

rhwng y cŵn a'r brain   :   going to rack and ruin
between the dogs and the crows
> Wedi marw'r perchennog aeth y tŷ rhwng y cŵn a'r brain.
> After the death of the owner the house went to rack and ruin.

rhwng y cŵn a'r clawdd   :   in a tight corner ; in a fix
between the dogs and the embankment
> Roedd y drws ar glo y tu ôl imi, a'r lleidr yn fy mygwth â chyllell.
> Roeddwn i rhwng y cŵn a'r clawdd.
> The door was locked behind me and the thief was threatening me with a knife. I was in a tight corner.

yn llyfadu fel ci   :   panting
> Ar ôl rhedeg roedd e'n llyfadu fel ci.
> After running he was panting.

yn peswch fel ci hela   :   to cough a great deal
coughing like a hound
> Gan ei fod e'n smygwr mor drwm, pesychai bob bore fel ci hela.
> As he was such a heavy smoker, he coughed terribly every morning.

yn sâl fel ci   :   as sick as a dog
> Teimlai'r ferch yn sâl fel ci yn y cwch pysgota.
> The girl felt very sick in the fishing boat.

CIMWCH (lobster)

cimychau : grimaces
lobsters

> Paid â gwneud cymaint o gimychau.
> Don't grimace so much.

fel cimwch : askew ; lopsided
like a lobster

> Ar ôl y ddamwain roedd e'n cerdded yn gam fel cimwch.
> After the accident he was walking askew like a lobster.

yn goch fel cimwch : extremely red
red like a lobster

> Roedd wyneb Tom yn goch fel cimwch ar ôl iddo gael cerydd gan y
> prifathro o flaen y dosbarth.
> Tom's face was extremely red after he had been admonished by
> the headmaster before the class.

CLEREN (a fly)

cleren : a clout ; a box on the ear ; a blow

> Fe gafodd e gleren gan ei wrthwynebydd cyn iddo gael cyfle i godi
> ei ddyrnau.
> He received a blow from his opponent before he had an opportunity
> to raise his fists.

COG/CWCW (a cuckoo)

fel cwcw bren : someone who acts foolishly ; a clown (usually a woman)
like a wooden cuckoo

> Roedd Siân fel cwcw bren yn chwerthin ac yn gweiddi yn y tafarn.
> Siân was like an idiot laughing and shouting in the public house.

fel y gog : very happy ; on top of the world ; in high spirits
like the cuckoo

> Teimlais yn ddiflas ar ôl methu'r arholiad ond erbyn hyn rydw i
> fel y gog.
> I felt miserable after failing the examination, but by now I am on
> top of the world.

hen gwcw : a silly person ; a foolish person
an old cuckoo

> Glywsoch chi'r hen gwcw yna'n gweiddi yn ystod y cyfarfod ?
> Did you hear that silly fool shouting during the meeting ?

mor effro â'r gog : wide awake
as awake as the cuckoo

> Er ei bod hi'n gynnar yn y bore, roedd y baban mor effro â'r gog.
> Although it was early in the morning, the baby was wide awake.

mor llawen â'r gog : as happy as a lark ; extremely happy
as happy as the cuckoo

> Er ei fod e'n ddall, roedd yr hen ŵr mor llawen â'r gog.
> Although he was blind, the old man was as happy as a lark.

yr un gân sydd gan y gwcw : used of someone who always speaks of
the cuckoo always has the same song the same thing ; one who has a bee in
his bonnet.

> Mae e bob amser yn siarad am ei gampau yn y rhyfel. Yr un gân
> sydd gan y gwcw.
> He always speaks of his wartime feats. The cuckoo never changes
> its tune.

COLOMEN (a dove)

fel colomen yn ei thŷ : an untidy, slovenly person
like a dove in its cote

> Er ei bod hi'n gwisgo'n grand, mae hi fel colomen yn ei thŷ.
> Although she dresses smartly, she is slovenly at home.

fel colomen wryw : vibrato ; an unsteady voice
like a male dove

> Mae hi'n canu fel colomen wryw.
> She is singing vibrato.

mor ddiniwed â cholomen : as innocent as a dove ; very innocent ;
naive

> Mae rhaid bod Ann mor ddiniwed â cholomen i gredu'r fath stori.
> Ann must be naive to believe such a story.

CREADUR (a creature)

creadur o ddyn : a human being
creature of man

> Does dim disgwyl i greadur o ddyn fyw dan y fath amgylchiadau.
> One cannot expect a human being to live under such circumstances.

greadur : fool ; idiot

> Ble buost ti yn y glaw mawr yma, greadur ?
> Where did you go in this heavy rain, idiot ?

y creadur : a term of endearment ; poor soul

> Mae hi'n ofnadwy ei weld e'n dioddef, y creadur.
> It's terrible seeing him suffer, poor soul.

CRICSYN (a cricket)

cricsyn : used contemptuously of a small person or child

> Peidiwch â bod yn gas wrtho. Dim ond cricsyn yw e.
> Don't be nasty to him. He's only small.

fel cricsyn : sprightly ; full of life

> Er ei bod hi dros ei phedwar ugain oed, mae hi fel cricsyn.
> Although she is over eighty years of age, she's sprightly.

mor iach â'r cricsyn : extremely healthy
as healthy as the cricket

> Er bod y ffermwr yn gweithio allan ym mhob tywydd, roedd e mor iach â'r cricsyn.
>
> Although the farmer was working out of doors in all weather, he was extremely healthy.

CUDYLL (a kite)

gwylltio'n gudyll : to fly into a rage

> Fe wylltiodd yr athro'n gudyll pan welodd e gyflwr y lle.
>
> The teacher flew into a rage when he saw the state of the place.

CYW (a chick)

cyw gwaelod y nyth/y cyw melyn olaf : the youngest child in the
the chick at the bottom of the nest/ the last yellow family ; the last to leave
chick home

> Roedd tri brawd Siân wedi mynd i'r coleg a hi oedd y cyw melyn olaf.
>
> Siân's three brothers had gone to college and she was the last left at home.

cyw gwyllt : an illegitimate child
a wild chick

> Gwyddai pawb yn yr ardal mai cyw gwyllt merch y plas oedd Dafydd.
>
> Everyone in the district knew that Dafydd was the illegitimate child of the daughter of the mansion.

cyw o frid : one who comes from a family which has a particular talent
chick of breeding

> Does dim rhyfedd ei fod e'n fardd da. Cyw o frid yw e, yn dilyn ei dad a'i dad-cu.
>
> It's no wonder he's a good poet. He comes from a line (of poets) and follows his father and grandfather.

29

cywion (plant) Alys : English people ; the English brood
Alice's chicks (children)

> Dydy hi ddim yn gallu siarad Cymraeg. Un o gywion Alys yw hi.
> She can't speak Welsh. She's one of the English brood.

natur y cyw yn y cawl : of someone who has inherited the character-
nature of the chick in the broth istics of the family

> Mae e'n gelwyddgi fel ei dad. Mae natur y cyw yn y cawl.
> He's a liar like his father. He has inherited the trait.

yn crynu fel cyw mewn dwrn : very nervous and frightened ; shaking
shivering like a chick in one's fist like a leaf

> Pan ddaeth e o flaen y barnwr roedd e'n crynu fel cyw mewn dwrn.
> When he came in front of the judge he was shaking like a leaf.

CHWANNEN (a flea)

chwain y gof : the sparks from the anvil in a smithy
the blacksmith's fleas

> Aethon ni i'r efail a gweld chwain y gof yn tasgu dros y lle wrth
> iddo guro'r bedol ar yr einion.
> We went to the smithy and saw the sparks shooting all over the
> place as he beat the horseshoe on the anvil.

chwinciad chwannen : in a flash ; extremely quickly
in a flea's wink

> Nawr, mae ceir ar gael i'n cludo o fan i fan mewn chwinciad
> chwannen.
> Now, there are cars available to whisk us from place to place in a
> flash.

CHWILEN (a beetle)

chwilen yn ei ben : to be obsessed with some matter ; to have a bee in
a beetle in his head one's bonnet

> Roedd rhyw chwilen ym mhen y tad o hyd ynglŷn â bwyd y plant.
> The father was continually obsessed with the children's food.

DAFAD (a sheep)

cynefin defaid/rhosfa defaid : a sheepwalk
the habitat of sheep

Cynefin defaid yn unig yw'r bryniau gan nad yw'r tir yn dd᷈.
The hills are only a sheepwalk as the land is poor.

dafad ddu : a ne'er do well ; a black sheep

Mae Wil, fy mrawd, yn y carchar. Ef yw dafad ddu'r teulu.
Wil, my brother, is in prison. He is the black sheep of the family.

dafad (oen) swci : a pet sheep (lamb)

Yr oedd gan bob plentyn ar yr ynys oen swci.
Every child on the island had a pet lamb.

defaid Dafydd Jôs (Gwenhidwy) : the waves of the sea

O ben y clogwyn gwelwn ddefaid Dafydd Jôs yn prancio yn y bae.
From the top of the cliff we could see the waves prancing in the bay.

fel defaid drwy adwy : i) wildly ; in disarray ; without order
like sheep through a gap   ii) following the leader's example

i) Pan ganodd y gloch, rhedodd y plant o'r dosbarth fel defaid drwy adwy.
When the bell rang, the children ran out of the classroom in disarray.

ii) Aeth Tom i mewn i'r berllan gyntaf a'r plant eraill yn ei ddilyn fel defaid drwy adwy.
Tom went into the orchard first with the other children following like sheep.

DRAENOG (a hedgehog)

cyn flined â draenog : extremely cross ; bad tempered
as cross as a hedgehog

Peidiwch â gofyn i'r prifathro am ddim heddiw. Mae e cyn flined â draenog.
Don't ask the headmaster for anything today. He's extremely cross.

31

fel draenog (also, **"yn bigog fel draenog"**) : a touchy, cross person
like a hedgehog (prickly like a hedgehog)

> Mae hi'n amhosibl trafod unrhyw bwnc gydag ef. Mae e fel
> draenog.
> It's impossible to discuss any subject with him. He's very touchy.

DRYW (a wren)

fel piso dryw bach yn y môr : an insignificant amount ; of no con-
like a wren's urine in the sea   sequence at all

> O ystyried bod eisiau £10,000 i drwsio'r neuadd, nid yw cyfraniad
> o bum ceiniog ond megis piso dryw bach yn y môr.
> Considering that £10,000 is needed to repair the hall, a con-
> tribution of five pence is of little consequence.

mor dwt â nyth dryw : extremely neat and tidy
as neat as a wren's nest

> Mae eu bwthyn mor dwt â nyth dryw.
> Their cottage is very neat and tidy.

mor sionc â'r dryw : very sprightly
as sprightly as a wren

> Er ei bod hi'n hen, roedd hi mor sionc â'r dryw.
> Although she was old, she was very lively.

EBOL (a foal)

eboles o ferch : a young vivacious girl
a foal of a girl

> Pam priododd Dr. Price yn ei henaint â'r fath eboles o ferch ?
> Why did Dr. Price marry such a lively young woman in his old age ?

fel ebol : frisky ; agile ; lively

> Er ei fod e'n 80 oed, roedd e fel ebol.
> Although he was 80 years of age, he was very lively.

ELIFFANT (an elephant)

cof eliffant : a very good memory
an elephant's memory

Er ei fod e'n hen, roedd gan Mr. Jones gof eliffant.
Although he was old, Mr. Jones had a very good memory.

mor gryf ag eliffant : very strong

Mae e'n ifanc ac mor gryf ag eliffant.
He is young and very strong.

EOS (a nightingale)

eos bren : an extremely poor singer
a wooden nightingale

Mae llais tenor da gan ei dad ond mae Emyr fel eos bren.
His father has a good tenor voice but Emyr is an extremely poor singer.

fel eos : a very sweet singer

Roedd y bachgen bach yn gallu canu fel eos.
The little boy could sing extremely sweetly.

ERYR (an eagle)

eryr : used figuratively to describe a prince, hero or chieftain

Roedd pennaeth y llwyth yn eryr mewn brwydr.
The chief of the clan was a hero in battle.

fel hen eryr wedi chwalu'r nyth : a parent left alone after the
like an old eagle after breaking the nest   children have gone

Mae'r plant wedi mynd oddi cartref ac mae e fel hen eryr wedi chwalu'r nyth.
The children have left home and he is alone.

yr eryr : shingles

Clefyd poenus yw'r eryr.
Shingles is a painful condition.

33

EWIG (hind)

fel ewig ar ei thraed : light-footed and nimble

Roedd y sipsi fel ewig ar ei thraed yn dawnsio i gyfeiliant y gitâr.
The gypsy was dancing nimbly to the accompaniment of the guitar.

mor sionc â'r ewig : very nimble ; agile

Mae'r hen ŵr yn dal i fod mor sionc â'r ewig.
The old man is still very nimble.

rhedeg fel ewig : to run swiftly ; to run like a stag

Rhedodd y maswr fel ewig drwy fwlch yn yr amddiffynfa.
The outside half ran like a stag through a gap in the defence.

FFURED (a ferret)

fel ffured : a very thorough searcher

Aeth yr ymchwilydd fel ffured drwy holl gyfrolau'r llyfrgell.
The researcher worked thoroughly through all the volumes of the library.

FFWLBART (a polecat)

drewi fel ffwlbart : someone who smells unpleasant ; stinking
stinking like a polecat

Ar ôl dod adref o'r ffatri gemegau mae Sam yn drewi fel ffwlbart.
After coming home from the chemical works, Sam stinks.

ffwlbart : somebody extremely stupid ; a fathead

Paid â chwarae yn ymyl y clogwyn, y ffwlbart.
Don't play at the edge of the cliff, fathead.

mor ddiog â ffwlbart : extremely lazy
as lazy as a polecat

Mae hi'n alluog ond, gwaetha'r modd, mae hi mor ddiog â ffwlbart.
She's clever, but, worst luck, she's extremely lazy.

GAFR (a goat)

fel gafr : extremely agile (often of climbers)
like a goat
> Er bod Emlyn yn hen mae e fel gafr yn dringo'r mynyddoedd.
> Although Emlyn is old, he climbs mountains like a goat.

fel gafr ar daranau : very agitated and nervous
like a goat in a thunderstorm
> Roedd Tom fel gafr ar daranau wrth glywed y bomiau'n cwympo ar y dref.
> Tom was extremely agitated hearing the bombs falling on the town.

fel gafr wanwyn : a crotchety, complaining person
like a spring goat
> Fwynheuodd e ddim mo'r parti. Roedd e fel gafr wanwyn yno.
> He didn't enjoy the party. He was extremely crotchey, there.

gweryru fel gafr y gors : loud and silly laughter
neighing like a snipe
> Ar ôl bod yn yfed roedd y ferch yn gweryru fel gafr y gors.
> After drinking the girl was laughing in a loud and silly manner.

llais fel gafr : an unmelodious voice
a voice like a goat
> Er ei fod e'n aelod o'r côr, roedd gan y dyn lais fel gafr.
> Although he was a member of the choir he had an awful voice.

myn gafr ! : a mild oath ; by golly !
by a goat !
> Fe gollais i heddiw, ond fe enillaf i y tro nesaf, myn gafr i !
> I lost today but, by golly, I'll win next time.

taflu llygad gafr at : to cast a wanton eye ; lecherous
to cast a goat's eye on
> Taflodd y llanc lygad gafr at y ferch ddeniadol wrth iddi gerdded i mewn i'r neuadd ddawnsio.
> The youth cast a wanton eye on the attractive girl as she walked into the dancehall.

35

twffyn gafr (also "**cetyn gafr**") : a goatee beard ; a chin-tuft
a goat-tuft

> Cadwai llawer o'r hen bregethwyr dwffyn gafr, a barnu wrth hen luniau.
> Many of the old preachers cultivated a goatee beard, judging from old photographs.

yn rhechain fel gafr : farting profusely
farting like a goat

> Ar ôl bwyta wynwyn roedd e'n rhechain fel gafr.
> After eating onions he was farting continually.

GAST (a bitch)

gast : a nasty, unpleasant female

> Mae hi'n cweryla, yn gweiddi ac yn sgrechian bob nos. Hen ast yw hi !
> She quarrels, shouts and screams every night. She's an old bitch !

GELE(N) (a leech)

glynu fel gelen : to cling very strongly
to cling like a leech

> Fe lynodd y bachgen bach fel gelen wrth ei fam yn y dref.
> The little boy clung like a leech to his mother in town.

GWADD (a mole)

cysgu fel gwadd : to sleep soundly ; to sleep like a log
to sleep like a mole

> Pan es i'r ystafell roedd y ferch fach yn cysgu fel gwadd.
> When I went to the room the little girl was sleeping soundly.

mor ddall â'r wadd : completely blind ; as blind as a bat
as blind as the mole

> Rwyt ti mor ddall â'r wadd os nad wyt ti'n gallu gweld y castell ar y bryn.
> You're as blind as a bat if you can't see the castle on the hill.

36

yn dew fel gwadd : very fat ; corpulent
fat like a mole

> Roedd y plentyn yn dew fel gwadd.
> The child was extremely fat.

GWALCH (a hawk)

gwalch gwely : a sluggard ; one who likes to stay in bed
a bed-hawk

> Mae Sion yn sionc iawn yn y nos ond gwalch gwely yw e yn y bore.
> Sion is lively at night but a sluggard in the morning.

hen walch : a rogue ; a dishonest person
an old hawk

> Hen walch oedd y cyfreithiwr yna geisiodd fy nhwyllo i.
> That solicitor who tried to cheat me was a rogue.

GWENCI (a weasel)

fel gwenci (winci) : extremely fast ; like a flash
like a weasel

> Cyn imi fedru ei rwystro, fe redodd y bachgen bach fel gwenci o'r ystafell.
> Before I could prevent him, the little boy ran very quickly out of the room.

mor wancus â'r wenci : very greedy ; voracious
as greedy as the weasel

> Roedd y plentyn mor wancus â'r wenci am losin.
> The child was extremely greedy for sweets.

GWENNOL (a swallow)

cot gynffon gwennol : a frock-tail coat
a swallow-tail coat

> Gwisgodd Mr. Thomas got gynffon gwennol i fynd i'r opera.
> Mr. Thomas wore a frock-tailed coat to the opera.

fel gwennol gwehydd : extremely quickly
like a weaver's shuttle
> Mae bywyd dyn yn mynd heibio fel gwennol y gwehydd.
> Man's life passes extremely quickly.

GŴYDD (a goose)

croen gŵydd : goose-flesh ; a sign of cold or fear
> Roedd croen gŵydd yn codi ar ein breichiau gan ein bod ni mor oer.
> There was gooseflesh on our arms as we were so cold.

fel bollt o din gŵydd : extremely suddenly ; out of the blue
like a bolt from a goose's backside
> Fe neidiodd y ddafad dros y clawdd a disgyn yn llwybr y car fel bollt o din gŵydd.
> The sheep leaped over the embankment and landed in front of the car out of the blue.

y gwyddau yn y ceirch : the fat in the fire
the geese in the oats
> Os dywediff e hynny yn y cyfarfod fe fydd y gwyddau yn y ceirch gan nad yw'r mwyafrif yn cytuno â fe.
> If he says that in the meeting the fat will be in the fire as the majority disagree with him.

yn chwythu fel gŵydd fach : out of breath ; breathless
blowing like a young goose
> Rhedodd Dai i mewn i'r ystafell yn chwythu fel gŵydd fach.
> Dai ran into the room out of breath.

GWYBEDYN (a gnat)

hidlo gwybed : to split hairs
to sieve gnats
> Hidlo gwybed fyddai ceisio gwahaniaethu rhwng polisïau'r ddwy blaid.
> It would be splitting hairs to try to differentiate between the policies of the two parties.

38

trwch asgell gwybedyn : very close ; a hair's breadth
the thickness of a gnat's wing

> Drwy lwc, fe aeth y car arall heibio imi o fewn trwch asgell gwybedyn.
>
> Fortunately, the other car went past me within a hair's breadth.

HWCH (a sow)

blingo hwch â chyllell bren : to attempt the impossible
to skin a sow with a wooden knife

> Collodd y bardd ei awen a blingo hwch â chyllell bren oedd ceisio rhoi pin ar bapur.
>
> The poet lost his inspiration and it was futile putting a pen to paper.

fel syfïen ym mola hwch : small and of little consequence
cf. fel piso dryw bach yn y môr
like a wild strawberry in a sow's belly

gwrando fel hwch yn y sofl : listening intently
listening like a sow in the stubble

> Stopiodd wrth y drws a gwrando fel hwch yn y sofl.
>
> He stopped by the door and listened intently.

hwch : a very slovenly woman ; a slut

> Dydy hi byth yn glanhau'r tŷ ac mae'r plant yn frwnt bob amser. Hen hwch yw hi !
>
> She never cleans the house and the children are always dirty. She's a slut !

yr hwch wedi mynd drwy'r siop : to become bankrupt
the sow has gone through the shop

> Fe gaeodd y ffatri ddoe. Aeth yr hwch drwy'r siop am nad oedd y rheolwr yn deall ei waith.
>
> The factory closed yesterday. It went bankrupt because the manager didn't understand his work.

HWRDD (a ram)

fel hwrdd (also "fel hwrdd blwydd" : stupid
like a ram (a year old ram)
> Does dim disgwyl iddo ddeall gan ei fod e fel hwrdd.
> One cannot expect him to understand as he is stupid.

HWYADEN (a duck)

brecwast chwadan (hwyaden) : a small breakfast, just a cup of tea
and a piece of bread
> Fedrwch chi ddim gweithio ar frecwast chwadan.
> You can't work on a small breakfast.

fel dŵr ar gefn hwyaden : like water on a duck's back ; having no
effect
> Roedd beirniadaeth ei ffrindiau fel dŵr ar gefn hwyaden i Arthur.
> His friends' criticism had no effect on Arthur.

fel hwyaden ar dir sych : awkward
like a duck on dry land
> Ar ôl codi o'r gwely, fe gerddodd yr hen ŵr ataf fel hwyaden ar dir
> sych.
> After getting up from bed the old man walked awkwardly towards
> me.

traed hwyad : flat feet
duck's feet
> Roedd hi'n hawdd iawn nabod y plismon wrth ei draed hwyad.
> It was easy to recognise the policeman by his flat feet.

IÂR (a hen)

fel iâr ag uncyw : someone who is fussy without reason
like a hen with one chick
> Er taw hen ferch yw hi heb ofal yn y byd, mae hi fel iâr ag uncyw.
> Although she's an old maid without any responsibility, she is always
> unreasonably fussy.

40

fel iâr ar ben tomen : busy
like a hen on top of a dung-heap

> Roedd hi fel iâr ar ben tomen yn y gegin yn paratoi ar gyfer y parti.
> She was busy in the kitchen preparing for the party.

fel iâr ar y glaw : crestfallen ; looking downhearted
like a hen in rain

> Ar ôl methu'r arholiad roedd e fel iâr ar y glaw am wythnos neu ddwy.
> After failing the examination he was downhearted for a week or two.

fel iâr dan badell (dwba) : sulking
like a hen under a bowl/tub

> Ymunodd hi ddim yn sbort y parti ond aros yn y cornel fel iâr dan badell.
> She didn't join in the fun of the party but stayed in the corner sulking.

fel iâr glwc : miserable ; downhearted
like a broody hen

> Dim ond annwyd oedd arna i ond teimlwn fel iâr glwc.
> I only had a cold but I felt miserable.

fel iâr i ddodwy : in a furtive manner ; slyly
like a hen going to lay

> Fe ymadawodd Mr. Jones â'r cyfarfod fel iâr i ddodwy.
> Mr. Jones left the meeting in a furtive manner.

fel iâr yn crafu : not getting anywhere
like a hen scratching

> Yn lle bwrw i mewn i'r gwaith roedd e fel iâr yn crafu gan smygu a hogi ei gryman am yn ail.
> Instead of getting on with the work he was getting nowhere smoking and sharpening his sickle alternately.

41

fel iâr yn gori : of one who complains and grumbles
like a broody hen

> Yn lle mwynhau'r hwyl gyda'r plant eraill roedd Siân yn y cornel fel iâr yn gori.
> Instead of enjoying the fun with the other children Siân was in the corner complaining and grumbling.

trefn iâr ddu : untidy, slovenly
the order of a black hen

> Er ei bod hi'n edrych yn smart bob amser, trefn iâr ddu sydd ganddi gartref.
> Although she always looks smart she is slovenly at home.

LLEDEN (a plaice)

fel lleden : flat, spreadeagled
like a plaice

> Dyna ble roedd e fel lleden ar wastad ei gefn ar lawr y gegin.
> That's where he was spreadeagled flat on his back on the kitchen floor.

gwerthu lledod : to flatter, to please someone by saying the right
selling plaice things

> Fe fu'n camol fy nillad a'm gwallt ac yn gwerthu lledod felly am hanner awr, ond es i ddim allan gyda fe.
> He complimented my clothes and my hair and flattered me for half an hour, but I didn't go out with him.

LLO (a calf)

llyfiad llo : the hair sleeked back over the forehead
a calf's lick

> Roedd y bachgen bach yn edrych yn anesmwyth iawn yn ei siwt newydd sbon a'i lyfiad llo.
> The little boy looked very uncomfortable in his brand new suit and his hair sleeked back.

42

mewn chwinciad llygad llo   :   in a flash ; very quickly
in the wink of a calf's eye

> Fe ddiflannodd y cadno mewn chwinciad llygad llo.
> The fox disappeared in a flash.

stori asgwrn pen llo   :   a story beyond credulity ; an unlikely story
calf's skull bone story

> Fe ddywedodd e ei fod e'n ffrind i'r brenin ond cytunai pawb mai
> stori asgwrn pen llo oedd honno.
> He said that he was a friend of the king, but everyone agreed that
> that was an unlikely story.

taflu'r llo a chadw'r brych   :   to throw out the valuable thing and keep
to throw the calf   something useless ; to make a stupid
and keep the afterbirth   choice ; to miss the point

> Llosgodd e'r llyfrau ond cadwodd e'r dillad. Dyna beth oedd
> taflu'r llo a chadw'r brych yn fy marn i.
> He burnt the books but kept the clothes. That was a stupid choice
> in my opinion.

yn ddwl fel llo   :   extremely stupid
stupid like a calf

> Doedd hi ddim yn bosib ei ddysgu gan ei fod e'n ddwl fel llo.
> It wasn't possible to teach him as he was stupid.

yn llo   :   a drip ; someone without much gumption ; stupid

> Roedd e'n ormod o lo i ofyn i'r ferch am ddawns.
> He was too much of a drip to ask the girl for a dance.

yn llywaeth fel llo   :   very docile, effeminate ; a lackey
tame like a calf

> Gwnâi bopeth a ddywedai ei wraig wrtho'i wneud am ei fod e'n
> llywaeth fel llo.
> He did everything his wife said as he was a lackey.

43

LLYFFANT (a toad)

fel llyffant : a morose, unsociable person ; one who doesn't like talking
like a toad

> Ddywedodd e na bw na be ond eistedd yn y cornel fel llyffant.
> He didn't say a thing but sat morosely in the corner.

mor oer â llyffant : very cold
as cold as a toad

> Doedd dim modd agosáu ato o gwbl gan ei fod e mor oer â llyffant
> yn ei agwedd.
> One couldn't get close to him at all as he was extremely cold in his
> attitude.

LLYGODEN (a mouse)

dal llygoden a'i bwyta : to live from hand to mouth
catching a mouse and eating it

> Dydyn ni ddim yn gallu cynilo arian o gwbl, dim ond dal llygoden
> a'i bwyta.
> We can't save any money at all, only live from hand to mouth.

mor dlawd â llygoden eglwys : extremely poor
as poor as a church mouse

> Er bod y dyn mor dlawd â llygoden eglwys roedd e'n hynod o
> hapus.
> Although the man was very poor he was extremely happy.

mor wlyb â llygoden ddŵr : very wet ; as wet as a water rat

> Daeth e i mewn o'r glaw mor wlyb â llygoden ddŵr.
> He came in from the rain, extremely wet.

yn ddistaw fel llygoden fach : extremely quiet ; as quiet as a mouse

> Er ei bod hi'n swnllyd gartref roedd hi'n ddistaw fel llygoden fach
> yn y dosbarth.
> Although she was noisy at home she was very quiet in class.

44

yn ofnus fel llygoden : extremely timid
timid like a mouse

> Roedd Mari'n ofnus fel llygoden ar ei phen ei hun yn y tywyllwch.
> Mari was extremely timid on her own in the dark.

LLYSYWEN (an eel)

fel llysywen (also, "yn llithrig : of someone who is extremely difficult
fel llysywen") to pin down or catch either physically
like an eel (slippery like an eel) or in an argument ; an elusive person

> Er i faswr Caerdydd redeg i ganol blaenwyr Casnewydd fe aeth e
> drwy eu dwylo fel llysywen.
> Although the Cardiff outside-half ran into the midst of the Newport
> pack, he went through them like an eel.

MALWODEN (a snail)

fel malwoden (also, "yn araf fel malwen") : an extremely slow
like a snail (slow like a snail) person

> Mae e fel malwoden yn y bore pan fydd rhaid iddo fynd i'r ysgol.
> He's extremely slow in the morning when he has to go to school.

MARCH (a stallion)

dilyn march ar y môr : of someone who hasn't a regular job ; someone
to follow a stallion on the sea living on his wits

> Er taw dilyn march ar y môr y bu ef drwy gydol ei oes, bu farw'n
> gyfoethog.
> Although he lived on his wits throughout his life, he died rich.

gwŷr meirch : cavalry
horsemen

> Aeth y gwŷr meirch a'r gwŷr traed i'r frwydr ochr yn ochr.
> The cavalry and the infantry went to battle side by side.

march : a ram ; a wolf ; one who chases women

Mae e'n ŵr parchus erbyn hyn, ond ef oedd march y plwyf pan oedd e'n ifanc.

He's a respectable man by now, but he was the parish ram when he was young.

yn pystylad fel march : stamping like a horse

Pan oedd y canwr ar y llwyfan roedd y gynulleidfa'n pystylad fel meirch.

When the singer was on the stage the audience was stamping.

MOCHYN (a pig)

cyn dewed â mochyn : very fat ; as fat as a pig

Roedd y baban wedi mynd cyn dewed â mochyn.

The baby had become very fat.

ddim gwerth cnec mochyn coron : of no value at all ; worthless
not worth the fart of a five shilling pig

Doedd ei addewid e ddim gwerth cnec mochyn coron.

His promise was worthless.

fedrai e ddim dal mochyn mewn entri : of a person with bandy legs

Mae ei goesau mor gam, fedrai e ddim dal mochyn mewn entri.

His legs are so bandy he couldn't stop a pig in an alley.

fel mochyn : a person of dirty habits ; like a pig

Rwyt ti'n bwyta fel mochyn er dy fod ti'n ddeg oed.

You eat like a pig although you are ten years of age.

fel perfedd moch : extremely complex
like a pig's entrails

Roedd tu mewn y cloc yn edrych fel perfedd moch i fi.

The inside of the clock looked very complex to me.

fel piso mochyn ar y gwynt   :   scattered ; in disarray
like a pig's pee in the wind
> Chwalodd y papurau ar y ddesg fel piso mochyn ar y gwynt wrth i'r drws agor yn sydyn.
> The papers on the desk scattered in disarray as the door opened suddenly.

fel swigen mochyn   :   completely bald ; as bald as a coot
like a pig's bladder
> Mae ganddo ben fel swigen mochyn.
> He has a completely bald head.

mae clustiau mawr gan fochyn bach   :   small children often hear what
little pigs have big ears   they shouldn't
> Paid â siarad am y bobl drws nesaf o flaen y plant gan fod clustiau mawr gan foch bach.
> Don't talk about the people next door in front of the children as they often hear what they shouldn't.

mochyn   :   used figuratively of a person dirty in habits and behaviour
> Fel arfer, mae e'n fachgen hyfryd, ond ar y cae rygbi mochyn yw e.
> Usually, he's a nice boy but he's a pig on the rugby field.

mochyn dau dwlc   :   a split personality
a pig with two sties
> Mae e'n hyfryd gartref ond yn ddiawl yn y gwaith.   Does dim dwywaith taw mochyn dau dwlc yw e.
> He's nice at home but a devil in work.   There's no doubt that he's a split personality.

mor gam â phiso mochyn   :   crooked ; not straight
as crooked as a pig's urine
> Roedd y rhesi tatws mor gam â phiso mochyn.
> The rows of potatoes were very crooked.

picio rhwng dau bryd mochyn   :   to take advantage of free time ; to
                                                            pop out
> Efallai y caf gyfle i bicio i'ch gweld chi rhwng dau bryd mochyn.
> Perhaps I'll have a chance to pop out to see you.

rhochian fel moch : grunting like pigs

> Wrth iddyn nhw wthio'i gilydd roedd y blaenwyr yn rhochian fel moch.
>
> As they pushed each other the forwards were grunting like pigs.

traed moch : in a sorry state ; in a pickle
pig's feet

> Pan ddechreuodd y bechgyn ymladd fe aeth hi'n draed moch yn y ddawns.
>
> When the boys started to fight things went out of hand in the dance.

yn cysgu fel mochyn : to sleep soundly
sleeping like a pig

> Cysgodd e fel mochyn drwy'r storm.
>
> He slept soundly through the storm.

yn chwyrnu fel mochyn : to snore heavily
snoring like a pig

> O fewn pum munud roedd e'n chwyrnu fel mochyn.
>
> Within five minutes he was snoring heavily.

MORGRUG (ants)

mor ddiwyd â morgrug : very industrious ; dilligent
as industrious as ants

> Roedd plant y dosbarth mor ddiwyd â morgrug yn paratoi ar gyfer y cyngerdd.
>
> The children of the class were extremely busy preparing for the concert.

wedi eistedd ar docyn morgrug : very restless
having sat on an ant-hill

> Doedd e ddim yn gallu aros yn llonydd. Roedd e fel petai e wedi eistedd ar docyn morgrug.
>
> He couldn't stay still. It was as if he had sat on an ant-hill.

MUL (a mule)

fel mwlsyn : extremely stubborn
like a mule

>Roedd e fel mwlsyn yn gwrthod ateb cwestiynau'r plismon.
>He was extremely stubborn refusing to answer the policeman's questions.

llyncu mul : to pout ; to take umbrage
to swallow a mule

>Ar ôl imi wrthod dod fe lyncodd e ful a mynd adref.
>After I refused to come he took umbrage and went home.

oes mul (also, "tair oes mul") : a very long time
a mule's age (three ages of a mule)

>Fe fu rhaid imi aros oes mul cyn imi weld y meddyg.
>I had to wait an age before seeing the doctor.

y mwlsyn : stupid ; fathead

>Pam wnest ti hynny, y mwlsyn ?
>Why did you do that, fathead ?

yn dda i ddim ond i ganlyn mul y felin : completely useless ; an irresponsible person
useless except to follow the mill donkey

>Doedden ni ddim yn gallu rhoi gwaith iddo am ei fod e'n dda i ddim ond i ganlyn mul y felin.
>We couldn't give him work as he was completely useless.

yn gastiog fel mul : full of trickery
tricky like a mule

>Cadwodd plismyn lygad barcut ar y carcharor am ei fod e'n gastiog fel mul.
>The policemen kept a sharp eye on the prisoner as he was a very tricky customer.

yn styfnig fel mul   :   of someone extremely stubborn
stubborn like a mule

> Unwaith y penderfyniff Tom wneud rhywbeth newidiff e ddim mo'i feddwl am ei fod e'n styfnig fel mul.
> Once Tom decides to do something he won't change his mind because he's extremely stubborn.

MWNCI (a monkey)

codi mwnci rhywun   :   to get somebody's back up ; to anger someone

> Roedd gweld y ferch arall yn cael y sylw i gyd, er nad oedd hi'n chwarae'r delyn gystal â hi, yn codi mwnci Mair.
> Seeing the other girl receiving all the attention, although she didn't play the harp as well as she did, got Mair's back up.

y mwnci (bach)   :   you rascal

> Arhosa di nes i fi weld dy dad, y mwnci bach.
> You wait until I see your father, you rascal.

MWYDYN (an earthworm)

mor ddiniwed â mwydyn   :   as innocent as a lamb ; harmless

> Nid Tom ddygodd yr arian. Mae e mor ddiniwed â mwydyn.
> Tom didn't steal the money. He is completely innocent.

NEIDR (a snake)

fel lladd nadroedd   :   at a furious pace (often of work)
like killing snakes

> Roedd e wrthi'n pedoli'r ceffylau fel lladd nadroedd.
> He was shoeing the horses at a furious pace.

yn gyfrwys fel neidr/sarff   :   extremely cunning
cunning like a snake

> Er ei fod e'n fach roedd e'n gyfrwys fel neidr.
> Although he was small he was very cunning.

OEN (a lamb)

bod cyn brysured â chynffon oen : to be very busy
to be busy as a lamb's tail

> Roedd y ferch fach cyn brysured â chynffon oen yn trefnu'r celfi yn ei thŷ dol.
> The little girl was very busy arranging the furniture in her doll's house.

fel oen : quiet ; docile ; easy to handle
like a lamb

> Er iddyn nhw ddweud taw dyn cas iawn oedd Mr. Jones, roedd e fel oen yng nghyfarfod y pwyllgor.
> Although they said that Mr. Jones was a nasty man, he was like a lamb in the committee meeting.

oen swci (gw. dafad swci)

PATHEW (dormouse)

cynnes fel pathew : very snug and warm
warm like a dormouse

> Er ei bod hi'n bwrw eira, roedd e'n gynnes fel pathew yn y babell.
> Although it was snowing, he was snug in the tent.

PAUN (a peacock)

hen beunes : a gaudy old female ; an old bag
an old peahen

> Mae'n gas gen i'r hen beunes !
> I hate the old bag !

rhegi fel paun : to swear like a trooper
to swear like a peacock

> Er ei fod e'n ifanc, roedd e'n gallu rhegi fel paun.
> Although he was young, he could swear like a trooper.

51

yn falch fel paun : very proud ; haughty
proud like a peacock

> Edrychai'n falch fel paun yn cerdded gyda'r Prifweinidog.
> She looked very haughty walking with the Prime Minister.

PELICAN (a pelican)

fel pelican : on one's own ; a person who is always on his own

> Tra byddai'r plant eraill i gyd yn chwarae, byddai Tom fel pelican mewn cornel o'r cae.
> Whilst the other children would all be playing, Tom would be on his own in a corner of the field.

PENBWL (a tadpole)

penbwl : someone stupid ; a fathead

> Phrynodd e ddim mo'r tŷ, y penbwl !
> He didn't buy the house, the fathead !

PENWAIG (herrings)

fel penwaig yn yr halen : very congested ; like sardines
like herrings in the salt

> Fe gawson ni ein gwasgu i mewn i'r bws fel penwaig yn yr halen.
> We were squeezed into the bus like sardines.

PIODEN (a magpie)

fel pioden (also, "mor heini â phioden") : nimble ; like a two-year old
like a magpie (as sprightly as a magpie)

> Er ei bod hi'n hen, roedd hi fel pioden yn dawnsio gyda'r bobl ifainc.
> Although she was old, she was like a two-year old dancing with the young people.

52

yn falch fel pioden : very proud
proud like a magpie
> Ar ôl tyfu'n gyfoethog fe aeth e'n falch fel pioden.
> After growing rich he became very proud.

PORCHELL (a piglet ; a porker)
yn dew fel porchell : very fat
fat like a porker
> Roedd y crwt yn dew fel porchell.
> The boy was very fat.

TARW (a bull)
bugunad fel tarw : to roar like a bull
> Roedd yr ymgodymwr yn bugunad fel tarw pan ddechreuodd ei wrthwynebydd dynnu ei wallt.
> The wrestler roared like a bull when his opponent started pulling his hair.

llwybr tarw : a short-cut ; a direct route
a bull's path
> Fe gymeron ni lwybr tarw drwy'r cae a thros y clawdd.
> We took a short-cut through the field and over the bank.

tarw potel : artificial insemination
bottled bull
> Mae'r tarw potel yn arbed llawer o gost a thrafferth i ffermwyr heddiw.
> Artificial insemination saves the farmer a lot of cost and trouble today.

yn ddigywilydd fel talcen tarw : impudent ; shameless ; barefaced
shameless like a bull's forehead
> Cerddodd e i mewn i'r clwb yn ddigywilydd fel talcen tarw er nad oedd e'n aelod.
> He walked cheekily into the club although he wasn't a member.

TWRCI (a turkey)

cyn goched â cheiliog twrci   :   as red as a turkey-cock ; to blush
> Pan welodd e'r athro, aeth cyn goched â cheiliog twrci.
> When he saw the teacher, he went as red as a turkey-cock.

TWRCH (a mole) See also GWADD

cysgu fel twrch   :   to sleep soundly
to sleep like a mole
> Cysgodd fel twrch er gwaethaf y mellt a'r taranau.
> He slept soundly despite the thunder and lightning.

fel twrch   :   surly, morose
like a mole
> Eisteddodd fel twrch yn y cornel heb yngan gair.
> He sat morosely in the corner without saying a word.

gwybod ddim mwy na'r twrch   :   to be ignorant; something completely
daear am yr haul   outside one's experience
to know no more about something than
the mole about the sun
> Wyddai e ddim mwy am fathemateg na'r twrch daear am yr haul.
> He knew absolutely nothing about mathematics.

mae'r twrch wedi wincio arno   :   of someone who is thought likely to
the mole has winked at him   die soon ; on his last legs
> Mae'n dost iawn. Rwy'n ofni bod yr hen dwrch wedi wincio arno fe.
> He's very ill. I'm afraid that he's on his last legs.

YSGUTHAN (a woodpigeon)

hen 'sguthan   :   a bitch ; an unpleasant woman
an old woodpigeon
> Dywedai pawb yn y stryd taw hen 'sguthan oedd y fenyw.
> Everyone in the street said that the woman was an old bitch.

54

YSGYFARNOG (a hare)

mynd ar ôl ysgyfarnog/   :   to pursue an irrelevant matter
codi ysgyfarnog
to course a hare/to raise a hare

> Yn lle cadw at ei destun fe aeth y pregethwr ar ôl ysgyfarnog.
> Instead of keeping to his subject the preacher went after something irrelevant.

yn gyflym fel 'sgwarnog   :   very fast
fast like a hare

> Rhedodd y bachgen o'r berllan yn gyflym fel sgwarnog pan welodd e'r dyn yn dod.
> The boy ran extremely quickly from the orchard when he saw the man coming.

LLIWIAU

BRITH/BRYCH (speckled)

aderyn brith (gw. Aderyn)

bara brith/teisen frith/torth frith : currant loaf
Mae bara brith yn un o fwydydd traddodiadol Cymru.
Currant loaf is one of Wales's traditional foods.

brith berthyn : distantly related
Credaf ein bod yn brith berthyn i'r actor.
I think that we are distantly related to the actor.

brith gof : a faint recollection ; a vague memory
Mae gen i frith gof o 'nhad-cu.
I have a faint recollection of my grandfather.

britho : i) to go grey (of hair)
ii) to insert in one's speech or writing ; to pepper
i) Mae dy wallt yn dechrau britho.
Your hair is beginning to turn grey.
ii) Roedd e'n hoffi britho ei sgwrs â rhegfeydd.
He liked to pepper his conversation with oaths.

brych haul : freckles
Sylwais fod brych haul dros ei hwyneb i gyd.
I noticed that freckles covered her face.

cymeriad brith (**cf. aderyn brith**) : a shady character
a speckled character
Roedd Dafydd yn weinidog ond cymeriad brith oedd ei frawd.
Dafydd was a minister but his brother was a shady chacter.

yn frith : numerous ; scattered
speckled
> Roedd baneri coch yn frith ymhlith y dorf.
> Red flags were prominent in the crowd.

COCH (red)

cig coch : lean meat
red meat
> Dim ond cig coch mae e'n gallu ei fwyta nawr.
> He can only eat lean meat now.

cochi at ei glustiau : to blush deeply ; to blush to the roots of his hair
to redden to his ears
> Pan gusanodd y ferch y bachgen fe gochodd at ei glustiau.
> When the girl kissed the boy he blushed to the roots of his hair.

cwrw coch : brown ale ; mild ale
red beer
> Mae'n well gen i gwrw coch na chwrw melyn.
> I prefer mild ale to bitter.

cyn goched â thân : very red
as red as fire
**(also, "cyn goched â llygaid pennog" ;
"cyn goched â chrib ceiliog")**
*as red as a herring's eyes,
as red as a cockerel's comb*
> Gan fod arni gywilydd roedd ei hwyneb cyn goched â thân.
> As she was ashamed her face was very red.

dimai goch (y delyn) : a brass farthing ; very little money
a red halfpenny
> Pan aeth Dic Whittington i Lundain doedd dim dimai goch
> ganddo.
> When Dick Whittington went to London he didn't have a brass
> farthing.

gwaed coch cyfan : thoroughbred ; through and through
whole red blood

Roedd Ifan yn Gymro o waed coch cyfan.
Ifan was a through and through Welshman.

gwallt coch : ginger hair
red hair

Gwallt coch oedd gan Wylliaid Mawddwy.
The Brigands of Mawddwy had red hair.

llwybr coch : a well-worn path
red path

Fe dreuliodd y ci lwybr coch ar draws y lawnt.
The dog wore a path across the lawn.

siwgr coch (bara coch) : brown sugar (brown bread)
red sugar

Mae'n well gen i siwgr coch mewn coffi.
I prefer brown sugar in coffee.

trowsus yn cochi : trousers wearing out
trousers reddening

Sylwais fod pen ôl ei drowsus yn cochi.
I noticed that the seat of his trousers was wearing.

yn goch : i) of low quality
ii) obscene ; in bad taste

i) Er i ddramodydd enwog ei sgrifennu, roedd y ddrama'n goch.
Although it was written by a famous dramatist, the play was poor.
ii) Teimlais fod rhai o storïau'r digrifwr yn goch, yn enwedig o
gofio bod plant yn y gynulleidfa.
I felt that some of the comedian's jokes were in bad taste, especially
considering that there were children in the audience.

DU (black)

cyn ddued â'r fagddu   :   extremely black
as black as hell
(**also, "cyn ddued â'r eboni/muchudd"**)
(*as black as ebony/jet*)
> Roedd hi cyn ddued â'r fagddu erbyn hanner nos.
> It was pitch black by midnight.

du bitsh   :   extremely dark ; pitch black ; pitch dark
> Pan godais y bore yma ac agor y llenni, roedd hi'n ddu bitsh y tu allan.
> When I woke this morning and opened the curtains it was pitch dark outside.

du'r llygad   :   the iris of the eye
the black of the eye
> Fe wnaeth y ddamwain yn y gwaith cemegol niwed i ddu ei lygad.
> The accident in the chemical works damaged the iris of his eye.

edrych yn ddu   :   to appear ominous ; to look unlikely
to look black
> Roedd hi'n edrych yn ddu ar gynnal y gêm am ei bod hi'n bwrw eira'n drwm.
> It looked unlikely that the game would be held as it was snowing heavily.

gair du   :   sarcasm
a black word
> Chlywais i erioed ganmoliaeth o'i genau, dim ond gair du.
> I never heard praise from her lips, only sarcasm.

meddyliau duon   :   dark thoughts ; depression
black thoughts
> Wrth orwedd yn fy ngwely neithiwr yn ystyried fy nghyflwr, daeth meddyliau duon i'm poeni.
> As I lay on my bed last night considering my condition, dark thoughts came to torment me.

59

mewn du : in mourning
in black

> Roedd y teulu i gyd mewn du ar ôl claddu'r fam.
> The family were all in mourning after burying the mother.

mewn du a gwyn : in writing ; in black and white

> Cyn eich credu chi fe fydd rhaid imi weld yr ewyllys mewn du a gwyn.
> Before believing you I'll have to see the will in writing.

y Mis Du : November
the Black Month

> Yn yr hen amser roedden nhw'n galw Tachwedd ' Y Mis Du '.
> In olden times they used to call November ' The Black Month '.

GLAS (blue/green/grey)

arian gleision : silver ; small change

> Er bod gen i bapur pum punt, doedd gen i ddim arian gleision.
> Although I had a five-pound note, I didn't have any small change.

ceffyl/march glas : a grey horse

> Daeth y sgweier i'r helfa ar gefn march glas.
> The squire came to the hunt on a grey horse.

cenau glas (gw. cenau)

cyn lased â'r cennin : a greenhorn ; an innocent, inexperienced person
as green as leeks

> Pan ddaeth e gyntaf i Gaerdydd o'r wlad roedd e cyn lased â'r cennin.
> When he first came to Cardiff from the country he was a real greenhorn.

60

cyn lased â'r wawr : as grey as dawn

Edrychai'r chwarel cyn lased â'r wawr y prynhawn yna.
The quarry looked extremely grey that afternoon.

glasenw : a nick-name

Cyn pen wythnos yn yr ysgol fe gafodd yr athro newydd lasenw.
Within a week at school the new teacher had a nick-name.

glas gof (cf. brith gof) : a faint recollection ; an early recollection

Dim ond glas gof oedd ganddo o'i hen-dad-cu.
He only had a faint recollection of his great-grandfather.

glasgroesawu : a cold welcome

Gwyddai Dafydd mai cael ei lasgroesawu a wnâi yn nhŷ ei fodryb.
Dafydd knew he would be given a cold welcome in his aunt's house.

glastwraidd : milk-and-watery ; lacking in conviction ; feeble ; in-different

Pan soniais am y cynllun roedd ei ymateb yn ddigon glastwraidd.
When I mentioned the plan his reaction was indifferent enough.

glasu : i) to grow pale or grey
ii) to lighten ; dawn breaking
iii) to begin to grow
iv) to ripen (of cheese)

i) Sylwodd pawb fod ei wyneb wedi glasu ac edrychai ei ddwylo'n eiddil.
Everyone noticed that his face had grown pale and that his hands looked frail.
ii) Rhythai i'r tywyllwch yn chwilio am arwydd ei bod hi ar fin glasu.
He stared into the darkness looking for a sign that dawn was breaking.
iii) Roedd y lawnt newydd a heuais yn dechrau glasu.
The new lawn I sowed was beginning to grow.
iv) Gwyddai y cymerai beth amser i'r caws lasu.
He knew that it would take some time for the cheese to ripen.

glaswenu (also, "glaschwerthin") : to sneer

Wrth i mi ddatgan fy marn, sylwais ei bod hi'n glaswenu yn y cornel.

As I gave my opinion, I noticed that she was sneering in the corner.

glas y byd : the dawn of time

Ffurfiwyd y mynyddoedd hyn yng nglas y byd.

These mountains were formed at the dawn of time.

glas y dydd : very early in the morning ; at the crack of dawn

Codai bob amser yng nglas y dydd i weithio ar y fferm.

He used to get up at the crack of dawn to work on the farm.

gorau glas : level best

Er ei fod e'n fach iawn, fe wnaeth ei orau glas i ddal y lleill.

Although he was very small, he did his level best to catch the others.

hwyr glas : high time

Mae hi'n hwyr glas iti ddechrau gweithio.

It's high time for you to start working.

llaeth glas : skimmed milk

Roedd y lloi yn hoffi cael llaeth glas.

The calves liked having skimmed milk.

o'i gof las : extremely angry ; beserk

Fe aeth y prifathro o'i gof las pan welodd e'r plant yn tynnu ei lun ar y wal.

The headmaster went beserk when he saw the children drawing his picture on the wall.

y bore glas (also, "ar lasiad y dydd") : daybreak ; early in the morning

Fe godais yn y bore glas i glywed yr adar yn canu.

I got up early in the morning to hear the birds singing.

y glas : a policeman

Wrth iddo ddod allan o'r siop sylwodd fod y glas yn ei wylio.
As he came out of the shop he noticed that the policeman was watching him.

yn fy myw glas : for the life of me

Allaf i ddim yn fy myw glas ddeall agwedd y dyn.
I can't for the life of me understand the man's attitude.

GWYN (white)

arian gwyn : silver
white money

Does dim papur punt gen i, dim ond arian gwyn.
I don't have a pound note, only silver.

casgliad gwyn : a silver collection
a white collection

Fydd dim tocynnau i'r cyngerdd ond cymerir casgliad gwyn.
There won't be tickets for the concert but a silver collection will be taken.

cig gwyn : fat
white meat

Phrynais i mo'r darn rhad o gig gan fod gormod o gig gwyn arno.
I didn't buy the cheap joint of meat as there was too much fat on it.

cyn wynned â'r carlwm (gw. carlwm)

fy machgen gwyn i : my dear boy

Beth wyt ti wedi ei wneud i dy goes, fy machgen gwyn i ?
What have you done to your leg, my dear boy ?

gweld gwyn ar : to fancy ; to crave ; to like

Gelli di fentro bod rhywun wedi gweld ei wyn ar dy feic di. Weli di mono eto.
You can be sure that someone has fancied your bicycle. You won't see it again.

63

gwyn ei fyd   :   blessed ; lucky ; fortunate

Mae e'n olygus, yn hapus ac yn gyfoethog. Gwyn ei fyd !
He's handsome, happy and rich. Lucky dab !

gwyn llygad   :   the whites of one's eyes

Yn y tywyllwch welais i ddim o'r dyn du ar wahân i wyn ei lygaid.
In the darkness I couldn't see anything of the black man except the whites of his eyes.

gwyn ŵy   :   the white of an egg

I wneud y deisen yn iawn mae eisiau dau wyn ŵy.
To make the cake properly one needs two egg whites.

yn wyn fel y galchen (eira)   :   very white ; as white as a sheet
white like lime (snow)

Ar ôl gweld yr ysbryd, fe redodd allan o'r stafell yn wyn fel y galchen.
After seeing the ghost, he ran out of the room as white as a sheet.

LLWYD (grey)

edrych yn llwyd   :   to look peeky
to look grey

Er ei fod e'n teimlo'n well, roedd e'n dal i edrych yn llwyd.
Although he felt better he still looked peeky.

llwydni (llwydi)   :   mildew
greyness

Roedd llwydni i'w weld ar y waliau llaith.
There was mildew to be seen on the damp walls.

llwydo   :   to become mildew
to grey

Mae'r dorth yma wedi dechrau llwydo.
This loaf has begun to go mildew.

64

llwydolau : twilight
grey light
'Nabyddais i ddim mono wrth iddo gerdded tuag ataf yn y llwydolau.
I didn't recognise him as he walked towards me in the twilight.

llwydrew : hoarfrost ; light frost
Pan edrychodd drwy'r ffenest, sylwodd fod llwydrew dros y caeau o gwmpas y tŷ.
When he looked through the window, he saw that there was hoarfrost over the fields around the house.

papur llwyd : brown wrapping paper
grey paper
Roedd y llyfr wedi ei lapio mewn papur llwyd.
The book was wrapped in brown paper.

Rhys Llwyd y Lleuad : Tha Man in the Moon
Wrth edrych ar y lleuad yn y nos, hoffai'r plant glywed sut yr aeth Rhys Llwyd y Lleuad yno.
As they looked at the moon in the night, the children liked to hear how the Man in the Moon went there.

MELYN (yellow)

melyn ŵy : the yolk of an egg
the yellow of an egg
Doedd dim eisiau melyn ŵy i wneud y pwdin.
An egg yolk wasn't needed to make the sweet.

y cyw melyn olaf (gw. dan CYW)

yn felen fel sipsi (sofren) : very yellow ; often used of someone who is
yellow like a gipsy (a sovereign) suntanned or suffering from jaundice
Ar ôl gweithio yn yr haul am wythnosau, roedd Mari'n felen fel sipsi.
After working in the sun for weeks, Mari was very tanned.

NEFI BLW (navy blue)

Nefi blw ! (**Nefi wen** !)   :   a mild oath ; good gracious
Nefi blw ! Beth sy'n digwydd yma ?
Good gracious ! What's happening here ?

PINC (pink)

ffit binc   :   a blue fit ; a shock
a pink fit
Fe gafodd e ffit binc pan welodd e'r plismon wrth y drws.
He had a shock when he saw the policeman by the door.

yn y pinc   :   in the pink ; in top condition
Ar ôl bod ar fy ngwyliau rydw i'n teimlo yn y pinc.
After being on holiday I feel in the pink.

Y CORFF

AMRANT (eyelid)

ar drawiad amrant (also, "ar amrantiad") : in the twinkling of an
eye ; in a wink

Diflannodd y cadno dros y clawdd ar drawiad amrant.
The fox disappeared over the embankment in a flash.

rhoi hun i'w amrantau : to sleep ; to rest
to give sleep to his eyelids

Mae natur yn artist diflino sy ddim yn rhoi hun i'w amrantau.
Nature is a tireless artist who doesn't rest.

ANADL/GWYNT (breath)

â'i anadl gyda : to support

Roedd hi'n amlwg bod Tom yn un â'i anadl gyda'r Blaid Lafur.
It was obvious that Tom was a Labour Party supporter.

â'i anadl yn ei ddwrn (gw. DWRN : â'i wynt yn ei ddwrn)

â'i anadl yn ei wddf : out of breath
with his breath in his throat

Pan gyrhaeddodd yr hen löwr ben y bryn â'i anadl yn ei wddf,
roedd yn dda ganddo eistedd.
When the old miner reached the top of the hill out of breath, he
was glad to sit.

anadl einioes : the breath of life

Er nad oedd e'n hoffi ei dad, sylweddolai taw ef roddodd anadl
einioes iddo.
Although he didn't like his father he realised that it was he who
gave him life.

67

cael gwynt at : to regain one's breath

Ar ôl rhedeg mor bell, cymerodd gryn amser imi gael fy ngwynt ataf.

After running so far, it took me quite a while to regain my breath.

colli gwynt : to be out of breath
to lose wind

Roedd yr athro wedi colli ei wynt yn llwyr wrth roi cot i'r bachgen

The teacher had completely lost his breath in giving the boy a hiding.

cymryd gwynt : to take a breath or a rest

Arhoson nhw am eiliad wrth y glwyd i gymryd gwynt cyn rhedeg ar draws y cae.

They waited for a second by the gate to take a spell before running across the field.

dan ei gwynt : under her breath

Fyddai Mari byth yn mynegi ei barn yn y pwyllgor ond siarad dan ei gwynt bob amser.

Mari would never express her opinion in the committee but would always mutter under her breath.

pwyso ar wynt : to attack ; to oppress
to weigh on one's breath

Mae'r iaith Saesneg yn pwyso ar wynt y Gymraeg yn feunyddiol.

The English language is continuously oppressing Welsh.

rhoi anadl o blaid rhywun/rhywbeth : to support ; to help
to give breath on behalf of someone/something

Mae e bob amser yn barod i roi ei anadl o blaid ei wlad ar lwyfan cyhoeddus neu ar y meysydd chwarae.

He is always ready to support his country, be it on a public platform or on the playing field.

torri gwynt : to belch
to break wind

Mae hi'n anfoesgar iawn i dorri gwynt wrth y bwrdd.

It's very rude to belch at the table.

68

ASGWRN (a bone)

asgwrn cefn : i) used figuratively for courage
the backbone   ii) a mainstay ; the chief strength
     i) Er ei fod e'n fach roedd ganddo ddigon o asgwrn cefn.
     Although he was small he had plenty of courage.
     ii) Y ddau hanerwr gwych oedd asgwrn cefn y tîm rygbi.
     The two brilliant halfbacks were the mainstay of the rugby team.

asgwrn cynnen : the cause of a quarrel ; the bone of contention
     Dywedwyd mai ewyllys eu tad-cu oedd asgwrn y gynnen.
     It was said that their grandfather's will was the bone of contention.

asgwrn i'w grafu (bilo) : a bone to pick ; a matter to clear up
a bone to scrape (peel)
     Dere 'ma. Mae asgwrn 'da fi i'w bilo gyda ti.
     Come here ! I have a bone to pick with you.

asgwrn mawr : the backbone
a big bone
     Roedd e'n glamp o fachgen ond roedd diogi wedi glynu yn ei
     asgwrn mawr.
     He was a huge boy but laziness had become ingrained in him.

asgwrn y ddadl : the basis of the argument ; the crux
the bone of the argument
     Asgwrn ei ddadl oedd ei fod e'n rhy hen i chwarae.
     The crux of his argument was that he was too old to play.

cig ar asgwrn : a basis ; a foundation
meat on a bone
     Doedd fawr o gig ar asgwrn tystiolaeth y llanc.
     There was little basis to the youth's evidence.

Esgyrn Dafydd ! : a mild oath ; good gracious
The bones of David
     Esgyrn Dafydd, mae hi'n oer !
     Blimey, it's cold !

esgyrn sychion : the bare bones ; the gist (of an argument)
dry bones
> Esgyrn sychion ei ddadl yn erbyn Senedd yw y byddai'n rhy gostus.
>
> The bare bones of his argument against a Parliament is that it would be too expensive.

gweithio hyd fer ei esgyrn : to work very hard ; to work like a nigger
to work to the marrow of his bones
> Fe weithion nhw hyd fer eu hesgyrn i sefydlu Ysgol Gymraeg.
>
> They worked like niggers to establish a Welsh School.

magu asgwrn cefn : to buck up courage
nurturing a back bone
> Er ei fod e'n gwybod ei fod e'n iawn, doedd e ddim yn gallu magu digon o asgwrn cefn i ddweud wrth y rheolwr.
>
> Although he knew he was right he couldn't buck up enough courage to tell the manager.

magu esgyrn bychain : pregnant ; carrying a child
nurturing small bones
> Synnwn i damaid nad yw Elin yn magu esgyrn bychain a barnu wrth ei golwg.
>
> Judging by her appearance, it wouldn't surprise me at all that Elin is pregnant.

nerth asgwrn pen : very loudly ; as loudly as one can
the strength of the bones of one's head
> Fe waeddodd Tom nerth asgwrn pen am help.
>
> Tom shouted as loudly as he could for help.

BARF (a beard)

barf gafr (see **Gafr**)

mefl ar ei farf ! : an oath ; a curse upon him !
a blemish on his beard
> Mefl ar farf y sawl a'm twylla !
>
> A curse upon him who deceives me !

BAWD (a thumb)

byw o'r bawd i'r genau : living from hand to mouth
living from thumb to lips
> Fe grwydrai'r sipswn y wlad yn byw o'r bawd i'r genau.
> The gypsies used to wander the country living from hand to mouth.

cadw dy fodiau i ti dy hun : advice not to steal ; keep your hands to
keep your thumbs to yourself   yourself
> Mewn siop cofia, bob amser, gadw dy fodiau i ti dy hun.
> In a shop remember to keep your hands off things.

codi uwch bawd sawdl : to fail to get on in the world
> Chododd e ddim uwch bawd sawdl er iddo weithio'n galed wrth
> ei swydd.
> He didn't get on although he worked hard at his job.

dan fawd : under somebody's complete control ; under someone's thumb
under a thumb
> Roedd hi'n amlwg ei fod e dan fawd ei wraig.
> It was obvious that he was under his wife's thumb.

heb fod uwch bawd na sawdl : being no better off ; being no wiser
being no higher than a big toe or heel
> Er iddi wrando'n ofalus ar y ddarlith fe ddaeth hi allan heb fod
> uwch bawd na sawdl.
> Although she listened carefully to the lecture, she came out none
> the wiser.

rhoi clec ar fy mawd : to snap one's fingers ; to show contempt
to give a snap on my thumb
> Gan nad oedd Tom yn hidio dim am agwedd y prifathro, rhoddodd
> glec ar ei fawd a cherdded ma's o'r ystafell.
> As Tom didn't care two hoots about the headmaster's attitude, he
> showed his contempt and walked out of the room.

synnwyr y bawd : a guess ; a rough measurement ; rule of thumb
the sense of the thumb

> Gan nad oedd tâp mesur ar gael, bu rhaid imi ddefnyddio synnwyr y bawd wrth godi'r wal.
> As there wasn't a tape-measure available, I had to build the wall by rule of thumb.

yn fodiau i gyd : clumsy ; all fingers and thumbs
all thumbs

> Doedd dim siâp arno o gwbl yn trwsio'r peiriant. Yn wir, roedd e'n fodiau i gyd.
> There was no shape on him repairing the machine. Indeed, he was all fingers and thumbs.

BLEW (hair)

at y blewyn : to a nicety ; to a tee
to a hair

> Roedd Tom yn gallu gosod y bêl yng nghornel y rhwyd at y blewyn yn ddi-feth.
> Tom was able to place the ball exactly in the corner of the net without fail.

blewyn ! : lad ! ; boyo !

> Sut mae, flewyn ?
> How's it going, boyo ?

blewyn glas : a blade of green grass

> Ar ôl i'r geifr bori rhwng y creigiau doedd dim un blewyn glas ar ôl.
> After the goats had grazed between the rocks there wasn't one blade of grass left.

blewyn o dybaco : a shred of tobacco ; a small bit of tobacco

> Eisteddai yn synfyfyrio yn y gornel gan wthio blewyn o dybaco'n ofalus i'w bib yn awr ac yn y man.
> He would sit in the corner meditating, pushing a small amount of tobacco into his pipe now and again.

72

edifaru am bob blewyn ar ei ben : to greatly regret something
to regret every hair on his head
> Os na fydd e'n derbyn y cynnig i fynd i Rydychen fe fydd yn edifaru am bob blewyn ar ei ben.
> If he doesn't accept the offer to go to Oxford he will greatly regret it.

gweld blew ei lygaid : to imagine one sees things
to see the hair of his eyes
> Doedd dim ysbryd yn yr eglwys o gwbl. Gweld blew ei lygaid wnaeth e.
> There wasn't a ghost in the church at all. He was imagining things.

heb droi blewyn : without turning a hair ; fearless ; without shame
> Fe aeth Daniel i mewn i ffau'r llewod heb droi blewyn.
> Daniel went into the lion's den without fear.

heb flewyn ar ei thafod : without mincing words ; to speak without
without a hair on her tongue   pulling punches
> Dywedodd y fam ei barn wrth y prifathro heb flewyn ar ei thafod.
> The mother gave the headmaster her opinion without mincing words.

heb hidio'r (malio'r) un blewyn : without caring a jot ; not caring a
without caring a hair   whit
> Dydw i ddim yn hidio'r un blewyn beth ddywediff e.
> I don't care a jot what he'll say.

hollti blew : to go into unnecessary detail ; to split hairs
> Gan fod y ddau gystadleuydd mor wych, hollti blew fyddai ceisio eu gwahanu.
> As both the competitors are so good, it would be splitting hairs to separate them.

i drwch y blewyn : exactly right ; dead on
to a hair's breadth
> Fe dorrodd y cigydd bwys o gig i drwch y blewyn.
> The butcher cut a pound of meat dead on.

73

o fewn trwch blewyn : very close ; within an ace
within the thickness of a hair

Fe fuon ni o fewn trwch blewyn i gael ein lladd.
We were within a hair's breadth of being killed.

tynnu blew o drwyn rhywun : to do something deliberately to annoy
to pull a hair from someone's nose someone

Symudodd Dylan mo'r afr o'r cae er ei bod yn brefu'n aflafar yn y nos. Dywedai rhai fod arno eisiau tynnu blewyn o drwyn y dyn drws nesaf.
Dylan didn't remove the goat from the field although it used to bleat harshly at night. Some said that he wanted to annoy the man next door.

tynnu blewyn cwta : to draw lots
to pull a short hair

Gan nad oedd neb yn awyddus i fynd doedd dim amdani ond tynnu blewyn cwta.
As nobody was anxious to go, there was nothing to do but to draw lots.

BOGAIL (navel)

syllu ar y bogail : to be concerned only about ourselves
to stare at the navel

Mae'n hen bryd i'r Cymry edrych ar wledydd eraill yn lle syllu ar eu bogeiliau eu hunain.
It's high time for the Welsh to look at other countries instead of just looking at their own problems.

yn nhoriad ei fogail : innate ; a part of someone
in the cut of his navel

Mae anonestrwydd yn nhoriad ei fogail.
Dishonesty is an integral part of his make-up.

yr un bogail â : exactly like ; the spitting image of
the same navel as

Mae e'r un bogail â'i dad.
He looks exactly like his father.

74

BRAICH (an arm)

braich ac ysgwydd   :   by physical effort ; with might and main
arm and shoulder
> Fe ymdrechon ni fraich ac ysgwydd i symud y car.
> We strove might and main to move the car.

braich o dir   :   a promontary
> Braich o dir yn ymestyn i'r môr yn Ne-orllewin Iwerddon yw'r Dingle.
> The Dingle is a promontary stretching out into the sea in S.W. Ireland.

braich olwyn   :   the spoke of a wheel
> Roedd breichiau olwyn y cert wedi torri.
> The spokes of the cart wheel had broken.

braich ym mraich   :   arm in arm
> Fe'u gwelais nhw yn cerdded fraich ym mraich ar hyd y traeth.
> I saw them walking arm in arm along the beach.

cadw o hyd braich   :   to keep at arm's length ; to keep at a distance
> Roedd y prifathro bob amser yn sicrhau ei fod e'n cadw'r plant o hyd braich.
> The headmaster always ensured that he kept the children at arm's length.

cynnal breichiau   :   to support ; to help
to support arms
> Mae hi'n bwysig ein bod yn cynnal breichiau'r tlawd a'r gwan yn ein plith.
> It's important that we support the poor and the weak in our midst.

cynnig o hyd braich   :   to offer grudgingly
to offer at arm's length
> Cynigiwyd cinio i'r gweinidog i'w arbed rhag mynd adref. Ond cynnig o hyd braich oedd e.
> The minister was offered dinner to save him going home. But it was a grudging offer.

nerth bôn braich : brute strength ; brute force

Gan nad oedd tractor yn gallu cyrraedd y lle, bu rhaid symud y car â nerth bôn braich.
As a tractor couldn't reach the place, the car had to be moved by brute force.

o nerth braich ac ysgwydd : i) by physical strength ; manually
from the strength of arm and shoulder ii) full-out ; with urgency

i) Fe aeth y garddwr ati i godi'r goeden o nerth braich ac ysgwydd gan nad oedd peiriant ar gael.
The gardener set about lifting the tree manually as there wasn't a machine available.
ii) Roedd John wrthi nerth braich ac ysgwydd yn ceisio gorffen peintio'r tŷ cyn cinio.
John was working full-out trying to finish painting the house before dinner.

trwy fraich a chryfder : through physical effort ; manually
through arm and strength

Yn lle defnyddio peiriant roedd yn well ganddo drin ei dir drwy fraich a chryfder.
Instead of using a machine he preferred to cultivate his land by hand.

wrth fôn braich : by physical effort ; by force and oppression

Dydy e ddim yn athro da er ei fod e'n gallu cadw trefn ar y dosbarth wrth fôn braich.
He isn't a good teacher although he can keep order in class by using force.

BREST (chest)

brest : the side of a hill

Adeiladwyd y tŷ ar frest a wynebai'r môr.
The house was built on a slope facing the sea.

76

gweddïo o'r frest : extemporary prayer ; to pray without prior prep-
to pray from the chest aration

> Darllen eu gweddïau y mae diaconiaid heddiw ond gallai ein
> cyndadau weddïo o'r frest.
> Today's deacons read their prayers but our forefathers could pray
> without preparation.

lledu brest : to show off ; to become proud
to widen one's chest

> Ar ôl iddo ddod yn gyfoethog fe ddechreuodd e ledu ei frest ac
> anwybyddu ei hen gyfeillion.
> After he became rich he became proud and ignored his old friends.

siarad o'r frest : to speak extemporare ; without preparation
to speak from the chest

> Roedd llawer mwy o angerdd nag arfer yn ei araith gan fod yr
> Aelod Seneddol yn siarad o'r frest.
> There was far more passion than usual in the speech as the M.P. was
> speaking without notes.

BRON (breast)

bron y llaw : the fleshy part of the hand between the thumb and
the breast of the hand the middle finger

> Fe frathodd y ci fron fy llaw.
> The dog bit the fleshy part of my hand.

gerbron : in the presence of

> Doedd y bachgen ddim yn edifar hyd yn oed gerbron yr ynad.
> The boy wasn't repentant even before the magistrate.

o'r bron : i) completely ; in its entirety
ii) in succession

> i) Fe gasglodd Ann fwy o arian dros yr Urdd na gweddill ei
> dosbarth o'r bron.
> Ann collected more money for the Urdd (Welsh League of Youth)
> than the rest of the class altogether.
> ii) Enillodd y bardd gadair yr eisteddfod dair gwaith o'r bron.
> The poet won the eisteddfod chair three times in succession.

BYS (finger)

ar flaenau ei fysedd : at the tips of his fingers ; to know something
thoroughly
Mae hanes yr ardal ganddo ar flaenau ei fysedd.
He knows the history of the district thoroughly.

bys ymhob brywes : a finger in every pie ; to take an active part in
a finger in every brewis many things
Fe fydd Tom yn barod i fod yn aelod o bwyllgor Neuadd y Pentref
gan ei fod e'n hoffi cael bys ymhob brywes.
Tom will be ready to be a member of the Village Hall Committee
as he likes to have a finger in every pie.

bysedd cloc : the hands of the clock
Roedd y plant yn hoffi troi bysedd cloc y capel yn ôl.
The children liked turning the hands of the chapel clock back.

codi bys : i) to beckon
to lift a finger ii) to make no effort
i) Os bydd trafferth, does ond eisiau codi bys ac fe ddof yno ar
unwaith.
If there is trouble you need only beckon and I'll come there at
once.
ii) Dydy'r ferch ddim yn codi bys i helpu ei mam yn y tŷ.
The girl doesn't lift a finger to help her mother in the house.

codi bys at : to reproach ; to criticise
to lift a finger to
Er ei fod e'n meddwi bob nos, all neb godi bys at safon ei waith.
Although he is drunk every night nobody can criticise the standard
of his work.

codi bys bach : to tipple ; to imbibe
to raise a little finger
Er ei fod e'n barchus iawn erbyn hyn, roedd e'n hoffi codi bys bach
pan oedd e'n ifanc.
Although he is, by now, very respectable, he liked to tipple when
he was young.

78

estyn bys at   :   to accuse ; to point a finger at

Wn i ddim pwy gymerodd yr arian o'r siop, ond all neb estyn bys ata i gan nad oeddwn i yno.
I don't know who took the money from the shop, but nobody can point a finger at me as I wasn't there.

hen fys   :   an old bore

Er fy mod i'n hoffi Emyr, mynnai pobun arall mai hen fys oedd e.
Although I liked Emyr, everyone else insisted that he was an old bore.

llosgi bysedd   :   to burn one's fingers ; to get caught in a deal ; to be stung in business

Llosgodd Mrs. Williams ei bysedd pan brynodd hi'r siop oherwydd gostyngodd poblogaeth yr ardal.
Mrs. Williams was caught out when she bought the shop because the population of the district fell.

llyfu bysedd   :   malicious enjoyment ; to enjoy someone else's misfortune
to lick fingers

Pan aeth y ffatri i'r wal roedd cymdogion y rheolwr yn llyfu eu bysedd.
When the factory became bankrupt the manager's neighbours enjoyed his misfortune.

mêl ar fysedd   :   something one enjoys (particularly someone else's
honey on one's fingers   misfortune)

Roedd clywed bod y ficer wedi cael ei ddal yn dwyn o'r siop yn fêl ar fysedd rhai o bobl yr ardal.
Hearing that the vicar had been caught stealing from the shop was music to the ears of some people in the district.

mor agos â bys yr uwd a'r bawd   :   extremely close
as near as the porridge finger and the thumb

Roedd Aled a minnau mor agos â bys yr uwd a'r bawd.
Aled and I were extremely close.

pobun â'i fys lle bo'i ddolur : everybody has his own particular worry
everyone with his finger where his pain is

> Roedd fy mrawd yn gofidio am bris ei docyn tymor ar y trên a'r
> mab yn gofidio am ei arholiadau. Dyna fel mae hi—pobun â'i fys
> lle bo'i ddolur.
> My brother was worrying about the price of his season ticket on
> the train and my son was worried about his examinations. That's
> how it is—each one with his own particular concern.

rhoi bys ar : to put one's finger on something ; to identify the precise
nature of a problem.

> Mae hi'n amlwg ei fod e'n gofidio ond alla i ddim rhoi fy mys ar y
> rheswm.
> It's obvious that he is worried but I can't put my finger on the
> reason.

rhoi bys ar gig noeth : to hurt someone's feelings ; to touch a
to put one's finger on raw flesh sore spot
(**also, "rhoi bys yn llygad"**)
(*to put one's finger in someones eye*)

> Pan soniais am anonestrwydd ei frawd roedd hi'n amlwg fy mod
> i'n rhoi fy mys ar gig noeth.
> When I spoke of his brother's dishonesty it was obvious that I had
> touched a sore spot.

troi rhywun o gwmpas eich bys bach : to get one's own way ; to
turn someone around your
little finger

> Fe fydd Mari'n gallu troi ei thad o gwmpas ei bys bach cyn bo hir.
> Before long, Mari will be able to turn her father around her little
> finger.

Y BYW (the quick ; the soft part under the fingernail)

byw'r llygad : the centre of the eye ; the iris

> Yn anffodus, aeth y ddraenen i fyw ei lygad.
> Unfortunately, the thorn entered the iris of his eye.

teimlo i'r byw : to feel something intensely ; to feel to the quick

Pan feirniadwyd fy nhad, fe deimlais y peth i'r byw.
When my father was criticised, I felt it to the quick.

CALON (heart)

â'm calon yn fy esgidiau : downhearted ; with one's heart in one's
with my heart in my boots boots

Ar ôl methu'r arholiad fe ddes i adref â'm calon yn fy esgidiau.
After failing the examination I came home feeling downhearted.

â'm calon yn fy ngwddf : to feel frightened or apprehensive ; with
one's heart in one's throat

Fe gerddais at ddrws y prifathro â'm calon yn fy ngwddf.
I walked to the headmaster's door feeling very frightened.

agos at ei galon : something one cares about greatly ; something close
to one's heart.

Mae gwaith y Clwb Ieuenctid yn agos at ei galon.
The work of the Youth Club is close to his heart.

calon : a term of endearment

Sut wyt ti, galon ?
How are you, love ?

calon afal : the core of an apple
the heart of an apple

Fe daflodd e galon yr afal heb geisio ei fwyta.
He threw the stump of the apple without attempting to eat it.

calon fawr : courageous ; brave ; to have a big heart

Er ei fod e dipyn yn llai na'r blaenwyr eraill yn y pac, roedd ganddo
galon fawr.
Although he was considerably smaller than the other forwards in
the pack, he was very courageous.

calonfeddal : soft-hearted ; kind

Dywedai pawb fod y plismon yn galonfeddal yn y bôn er ei fod e'n ymddangos yn gas.
Everyone said that the policeman was soft hearted really, although he appeared nasty.

calongaled : callous ; hard-hearted

Er bod y ferch yn wael, roedd ei thad yn ddigon calongaled i wrthod mynd i'w gweld hi.
Although the girl was very ill, her father was callous enough to refuse to go to see her.

calon y gwir : the heart of the matter ; the absolute truth
the heart of the truth

Wrth feirniadu'r ysgol ar goedd, dywedodd yr arolygydd galon y gwir.
In publicly criticising the school, the inspector said the absolute truth.

calon y lle : the heart and soul ; the centre of attention
the heart of the place

Elen oedd calon y lle mewn parti bob amser.
Elen was always the centre of attention in a party.

clywed ar ei galon : to feel inclined to ; to feel in one's bones
to feel in his heart

Os ydy e'n clywed ar ei galon y dylai siarad yn yr oedfa, fe wnaiff.
If he really feels that he ought to speak in the service, he will do so.

codi calon : to cheer up
to lift one's heart

Ar ôl colli ei gŵr, fe geisiodd y weddw godi ei chalon a mynd allan i gwrdd â'i ffrindiau.
After losing her husband, the widow tried to cheer up and went out to meet her friends.

colli calon : to become disheartened ; to lose heart

Ar ôl methu â dysgu Ffrangeg yn y dosbarth nos, fe gollodd y ferch galon.

After failing to learn French in the evening class, the girl became disheartened.

cyfaill calon : a bosom friend ; a very close friend

Roedd y dyn a fu farw ddoe yn gyfaill calon imi.

The man who died yesterday was a bosom friend of mine.

iechyd i galon rhywun : an interjection wishing someone well ; bless
health to someone's heart his soul

Fe gefais y cyfreithiwr, iechyd i'w galon, yn gwmnïwr diddan.

I found the solicitor, bless his soul, to be an entertaining companion.

o ddifri calon : in all seriousness

Dydych chi ddim o ddifri calon yn fy nghyhuddo i o ddwyn yr arian.

You are not, in all seriousness, accusing me of stealing the money.

o eigion calon : from the bottom of one's heart ; with a depth of feeling
from the depths of the heart

Erfyniaf arnoch o eigion calon i beidio â lladd y plentyn.

I implore you from the bottom of my heart not to kill the child.

o waelod calon : from the bottom of one's heart ; with all one's passion

Fe ddiolchodd y bachgen imi o waelod calon am achub ei dad.

The boy thanked me profusely for saving his father.

pan fynno ei galon : when he feels like ; when he wants to
when his heart wishes

Gall e ddod pan fynno ei galon.

He can come when he feels like.

teimlo ar fy nghalon : to feel inclined to ; to feel impelled to
to feel in my heart

Er gwaethaf y ffrae, teimlais ar fy nghalon y dylwn geisio siarad ag ef.

Despite the quarrel, I felt impelled to try to speak to him.

83

torri calon : to feel sad ; to pine ; to break one's heart

Torrodd mam ei chalon pan fu farw ei brawd.

Mother broke her heart when her brother died.

wrth fodd calon : to please ; to be acceptable

Fe fyddai clywed y record ar y radio wrth fodd calon fy mrawd.

Hearing the record on the radio would please my brother.

Y CEFN (the back)

ar gefn ei geffyl (gw. CEFFYL)

ar gefn ei geffyl cwta (gw. CEFFYL)

ar wastad ei gefn : flat on his back ; prostrate

Gorweddai'r paffiwr yn anymwybodol ar wastad ei gefn.

The boxer lay unconscious, flat on his back.

cael cefn : to realise that someone is not present ; to find someone's back turned

Unwaith y cawson nhw gefn y prifathro, fe ddechreuon nhw chwarae cardiau.

Once they found the headmaster's back turned, they started to play cards.

cael fy nghefn ataf : to get started properly in business ; to recover ; to find one's feet

Doedd y siop ddim yn fy nghynnal i a'r teulu i ddechrau, ond unwaith y ces i fy nghefn ataf gwnes fywoliaeth dda.

The shop didn't support me and the family to begin with, but once I found my feet I made a good living.

cefnen o dir : a ridge or slope

Codwyd y plas ar gefnen o dir yn edrych dros y dyffryn.

The mansion was built on a slope overlooking the valley.

84

cefn fel dôr melin : a broad back
a back like a mill-door

> Fe wnaiff e flaenwr da am fod ganddo gefn fel dôr melin.
> He'll make a good forward as he has a broad back.

cefn-gefn : back to back

> I chwarae'r gêm yma'n iawn, mae rhaid ichi eistedd gefn-gefn.
> To play this game correctly you have to sit back to back.

cefn gwlad : the heart of the countryside ; a rural area
the back of the country

> Un o broblemau pennaf Cymru yw diboblogi cefn gwlad.
> One of the chief problems of Wales is rural depopulation.

cefnu ar : to turn one's back on ; to forsake

> Ydych chi wedi cefnu ar y capel ?
> Have you forsaken the chapel ?

codi cefn : to gain strength

> Ar ôl bod yn yr ysbyty am fis mae hi'n dechrau codi cefn nawr.
> After having been in hospital for a month she's beginning to gain strength.

curo cefn : to praise ; to pat on the back
to beat the back

> Fe haedda Mari guro ei chefn am weithio mor galed.
> Mari deserves a pat on the back for working so hard.

(dillad) ar ei gefn : to wear

> Wrth edrych ar y crwydryn, sylwais taw dim ond ychydig garpiau oedd ar ei gefn.
> Looking at the tramp, I noticed that he was wearing only a few rags.

gefn dydd golau : in broad daylight

> Cymerwyd y car o'r maes parcio gefn dydd golau.
> The car was taken from the carpark in broad daylight.

gefn nos : at dead of night ; in the middle of the night

Daeth y lladron i'r plas gefn nos.

The thieves came to the mansion at dead of night.

gorffwys pen isaf dy gefn : an invitation to sit down
to rest the bottom part of your back

Mae sedd yma. Gorffwysa ben isa' dy gefn.

There's a seat here. Sit down.

gweld cefn (rhywun) : to be rid of ; to be quit of
to see the back of

Fe fyddai'n dda gan bawb weld ei gefn e.

Everyone would be glad to see him go.

wrth gefn : in reserve ; in hand
by one's back

Er inni golli llawer o arian mae gynnon ni ragor wrth gefn.

Although we have lost a lot of money we have more in reserve.

y tu cefn i : behind

Mae mynydd uchel y tu cefn i'r tŷ.

There's a high mountain behind the house.

yn gefn i : sustenance ; support
a back to

Pan fydd pethau'n mynd yn eich erbyn gall y teulu fod yn gefn ichi.

When things are going against you the family can be a support.

yn gefnog : well-off ; rich

Fe fyddai'n fantais iddo briodi â rhywun cefnog.

It would be an advantage for him to marry someone rich.

yn wysg ei gefn : backwards
(**also, "llwrw ei gefn/drach ei gefn"**)

Dechreuodd y cowboi symud yn wysg ei gefn at y drws.

The cowboy started to move backwards towards the door.

yng nghefn (rhywun) : behind somebody's back

Dywedodd Sam yng nghefn Dewi nad oedd yn cytuno â fe.

Sam said behind Dewi's back that he didn't agree with him.

CEG (mouth)

cau ceg rhywun : to prevent someone from expressing an opinion ; to shut someone's mouth

Fe gaeodd sylw'r cadeirydd geg y protestiwr a pheri i'r gynulleidfa chwerthin am ei ben.

The chairman's remark silenced the protester and caused the audience to laugh at him.

ceg yng ngheg : in close conversation
mouth in mouth

Roedd y ddau gynghorydd geg yng ngheg yn y cornel cyn i'r cyfarfod ddechrau.

The two councillors were in close conversation in the corner before the meeting began.

cymryd mwy o gegaid nag a all ei lyncu : to bite off more than one
to take more of a mouthfull than he can swallow   can chew

All e ddim gwneud y gwaith. Mae e wedi cymryd mwy o gegaid nag a all ei lyncu.

He can't do the work. He has bitten off more than he can chew.

gofyn a oedd gen i geg : to offer food
to ask if I had a mouth

Roeddwn i yno am ddwy awr ond ofynnodd neb a oedd gen i geg.

I was there for two hours but nobody offered me food.

hen geg : someone who cannot keep a secret ; a gossip
an old mouth

Peidiwch â dweud wrthi hi gan ei bod hi'n hen geg.

Don't tell her as she is a gossip.

llond ceg : cheek ; a ticking-off
a mouthful

Fe ges i lond ceg gan y fam gan imi geryddu'r bachgen.

I had cheek from the mother because I reprimanded the child.

87

nerth ei geg (ben) : as loudly as possible
the strength of his mouth (head)

Fe waeddodd e nerth ei geg pan welodd e'r lleidr.
He shouted as loudly as he could when he saw the thief.

tamaid o fy ngheg : a piece of my mind ; to talk straight
a piece of my mouth

Pan welaf i Tom, fe gaiff e damaid o fy ngheg.
When I see Tom, he shall have a piece of my mind.

yng nghegau'i gilydd : in close conversation ; conspiratorial
in each other's mouths

Dydy'r ddwy ferch yna ddim yn boblogaidd ymhlith y staff am eu bod nhw bob amser yng nghegau'i gilydd.
Those two girls aren't popular with the rest of the staff as they are always in close conversation.

yng ngheg y byd : common talk
in the mouth of the world

Er i'r teulu geisio cuddio'r ffaith ei bod hi'n disgwyl, mae hi yng ngheg y byd ers wythnosau.
Although the family tried to hide the fact that she was pregnant, it has been common talk for weeks.

CERN (jaw)

chwerthin nerth ei gernau : to laugh heartily
to laugh the strength of his jaws

Roedd Tom yn chwerthin nerth ei gernau wrth wrando ar storïau'r digrifwr.
Tom was laughing heartily as he listened to the comedian's stories.

gwneud cern : to make a threatening gesture ; to turn the side of the head threateningly (particularly of a bull or stag)

Pan welodd e'r tarw'n gwneud cern fe ddechreuodd y dyn redeg.
The man started to run when he saw the bull turning its head threateningly.

CLUN (hip, thigh, leg)

o glun i glun : to waddle
from leg to leg
> Ymlwybrai'n drafferthus o glun i glun ar hyd y stryd a'i fol enfawr yn destun sbort gan y plant.
> He waddled with difficulty along the street with his huge belly an object of fun for the children.

rhoi clun i lawr : to rest ; to have a spell
to put one's thigh down
> Roedd hi'n braf cael rhoi clun i lawr ar ôl cerdded dros y mynydd.
> It was nice to rest after walking over the mountain.

CLUST (ear)

bod â chlust ar y ddaear : to know what's going on ; to be well
to be with one's ear to the ground   informed
> Mae rhaid i chi fod â'ch clust ar y ddaear os ydych am godi bargen mewn arwerthiant hen gelfi.
> You must keep your ear close to the ground if you want to pick up a bargain in an antique sale.

bonclust : a clout ; a cuff on the ear
> Fe gafodd y bachgen fonclust gan ei dad am fod yn eofn.
> The boy had a clout from his father for being cheeky.

clust cwpan : the handle of a cup
the ear of a cup
> Torrwyd clust y cwpan yn y parti.
> The handle of the cup was broken in the party.

clust fain : a sensitive ear ; sharp hearing
a thin ear
> Roedd gan y ci glust fain a chyfarthodd wrth i'r dyn ddynesu at y tŷ.
> The dog had sharp ears and barked as the man approached the house.

89

clust yng nghlust : whispering together
ear in ear

Roedden nhw'n cynllwyno glust yng nghlust mewn cornel tywyll.
They were plotting, whispering together in a dark corner.

clusten : a box on the ear

Fe gei di glusten os na fyddi di'n dawel.
You'll get a box on the ear if you won't be quiet.

dim rhwng ei dwy glust : stupid ; dull
nothing between her two ears

Er ei bod hi'n ceisio ymddangos yn bwysig, mae'n amlwg nad oes
dim rhwng ei dwy glust.
Although she tries to look important, it's obvious that she is stupid.

dod i glust : to hear ; to get to know
to come to ear

Fe ddaeth i'w glustiau fod arwerthiant yn y plas yr wythnos gan-
lynol.
He got to know that there was a sale in the mansion the following
week.

dros ei ben a'i glustiau : to an excessive degree ; up to one's neck
over his head and ears

Fe aethon nhw dros eu pennau a'u clustiau i ddyled ar ôl agor y
siop.
They went deeply into debt after opening the shop.

gollwng dŵr i'w glustiau : to allow oneself to be cheated or exploited
to release water into his ears in trivial things

Fydd Mr. Jones byth yn ŵr busnes llwyddiannus gan ei fod e'n
gollwng dŵr i'w glustiau.
Mr. Jones will never be a successful businessman as he is prone to
being cheated.

90

gwneud clust hwch mewn haidd : to prick up one's ears ; to listen
to make a sow's ear in barley   intently

Fe wnaeth e glust hwch mewn haidd pan soniais fy mod i'n bwriadu mynd i'r gêm.
He pricked up his ears when I mentioned that I intended going to the game.

gwneud na chlust na chwedl : to ignore ; to take no notice
to make neither an ear nor a tale

Ni wnaeth na chlust na chwedl ohonof er imi ymbil arno'n daer.
He took no notice of me although I pleaded earnestly with him.

i mewn drwy un glust : in through one ear and out through the other ;
ac allan drwy'r llall   to take no notice

Rhybuddiais i e am y ferch ond aeth i mewn drwy un glust ac allan drwy'r llall.
I warned him about the girl but he took no heed.

mae gan gloddiau glustiau : one needs to be careful of what one says ;
hedgerows have ears   the walls have ears

Peidiwch â siarad yn uchel. Mae gan gloddiau glustiau.
Don't talk loudly. The walls have ears.

methu credu fy nghlustiau : having heard some incredible story ;
to be unable to believe my ears   difficult to believe

Pan glywais ei fod e wedi priodi, roeddwn i'n methu credu fy nghlustiau
When I heard that he had married, I couldn't believe my ears.

moeli clustiau : to droop the ears (particularly of a frightened or angry horse)

Byddwch yn ofalus pan welwch chi geffyl yn moeli ei glustiau.
Be careful when you see a horse drooping its ears.

mynd i'r glust â rhywun : to quarrel ; to attack

Natur gwerylgar y ferch a barai iddi fynd i'r glust â phobl yn gyson.
It was the girl's quarrelsome nature which caused her to clash constantly with people.

mynd ynghyd ben a chlustiau : to clash ; to be at loggerheads
to go together head and ears

> Allan nhw ddim bod yn yr un ystafell am bum munud heb fynd ynghyd ben a chlustiau.
> They can't be in the same room for five minutes without quarreling.

o glust i glust : common knowledge ; common talk
from ear to ear

> Cyn bo hir, aeth y newydd o glust i glust drwy'r pentref.
> Before long the news became common talk in the village.

rhoi clust i rywun : to listen to someone
to give someone an ear

> Er nad wyf yn cytuno â fe, mae'n rhaid imi roi clust iddo.
> Although I don't agree with him, I must listen to him.

troi clust fyddar i : to ignore
to turn a deaf ear to

> Mae'n anodd troi clust fyddar i'w ddadleuon cryf.
> It's difficult to ignore his strong arguments.

yn glustiau i gyd : listening intently
all ears

> Pan ddaeth y plismon i siarad â'r plant, roedden nhw'n glustiau i gyd.
> When the policeman came to speak to the children, they listened intently.

yn wên o glust i glust : to be very pleased
a smile from ear to ear

> Pan glywodd Alun ei fod e wedi ennill y wobr gyntaf, roedd e'n wên o glust i glust.
> When Alun heard that he had won the first prize, he was delighted.

COES (a leg)

coes glec (bren) : a wooden leg ; a peg leg

Collodd yr hen filwr ei goes yn y rhyfel a bu rhaid iddo wrth goes glec am weddill ei oes.

The old soldier lost his leg in the war and he had to have a wooden leg for the rest of his days.

cymryd y goes : to escape ; to run away
to take the leg

Fe gymerodd e'r goes gan adael ei wraig a'i blant.

He ran away, leaving his wife and children.

fel coes brws : stupid ; as dull as a bat
like a brush handle

Doedd dim pwrpas ei holi gan ei fod e fel coes brws.

There was no point questioning him as he was stupid.

tynnu coes : to tease ; to pull someone's leg

Roedd y plant yn hoffi tynnu coes yr athro.

The children liked pulling the teacher's leg.

yr hen goes : old girl ! (an affable greeting)
the old leg

Sut wyt ti ers cantoedd, yr hen goes ?

How are you this long time, old girl ?

COF (memory)

ar gof a chadw : on record ; written down

Fe sgrifennodd hi'r llyfr er mwyn i hanes yr ardal fod ar gof a chadw.

She wrote the book so that the history of the district would be on record.

brith gof : a vague memory ; a vague recollection

Dim ond brith gof sydd ganddo o'i hen fam-gu.

He only has a faint recollection of his great grandmother.

cof fel gogor (**shife**) : a bad memory
a memory like a sieve

> Roedd rhaid iddo nodi popeth mewn llyfryn am fod ganddo gof fel gogor.
> He had to note everything in a booklet as he had a memory like a sieve.

cof gan : to remember ; to recollect

> Cof gennyf i'm mam sôn amdano.
> I remember my mother mentioning him.

cof plentyn : a childhood memory

> Roedd ganddo gof plentyn o'r pentref.
> He had a childhood memory of the village.

coffa da amdano : blessed be his memory ; God rest his soul

> Fe weithiodd y prifathro, coffa da amdano, yn galed yn yr ardal.
> The headmaster, God rest his soul, worked hard in the district.

colli cof : i) to lose one's temper
            ii) to lose one's memory

> i) Pan atebodd y plentyn ef yn ôl, fe gollodd yr athro ei gof.
> When the child answered him back, the teacher lost his temper.
> ii) Mae Mr. Ifans yn hen iawn ac mae e'n dechrau colli ei gof.
> Mr. Evans is very old and he is beginning to lose his memory.

dal mewn cof : to remember ; to keep in mind
to hold in memory

> Pan fyddwn yn penodi clerc newydd, fe ddaliwn eich awgrym mewn cof.
> When we appoint a new clerk, we'll remember your suggestion.

danfon cofion : to send one's regards
to send memories

> Mae fy mam yn danfon ei chofion atoch hefyd.
> My mother also sends you her regards.

94

dwyn ar gof : to remember ; to recollect ; to bring to mind
to carry in the memory

> Rwy'n nabod eich wyneb ond fedraf i ddim dwyn eich enw ar gof.
> I know your face but I can't remember your name.

dysgu ar gof : to learn by heart
to learn on memory

> Bydd rhaid iddo ddysgu'r salm ar ei gof erbyn y Sul.
> He'll have to learn the psalm by heart by Sunday.

er cof am : in memory of

> Mae'r gofgolofn hon er cof am un o wŷr pwysig y dref.
> This monument is in memory of one of the important men of the
> town.

er cyn cof : from time immemorial ; a very long time
since before memory

> Fe fu'r cromlechi yn yr ardal er cyn cof.
> The cromlechs have been in the district since time immemorial.

galw i gof : to recollect ; to remember
to call to memory

> Doedd e ddim yn gallu galw i gof ei fod e erioed wedi dweud y fath
> beth.
> He couldn't recollect having ever said such a thing.

gollwng dros gof : to forget

> Ar ôl bod yn Llundain am flwyddyn fe ddechreuodd ollwng ei
> Gymraeg dros gof.
> After being in London for a year he started to forget his Welsh.

hen gofion : reminiscences ; old memories

> Cyn i'r do hŷn farw, mae'n bwysig ein bod yn recordio eu hen
> gofion am yr ardal.
> Before the older generation dies, it's important for us to record their
> reminiscences of the district.

mewn cof : to remember ; to bear in mind

Er nad oedd e wedi sgrifennu'r llythyr eto, roedd e'n cadw'r peth mewn cof.

Although he hadn't yet written the letter, he was bearing it in mind.

mynd dros gof : to forget

Roedd e wedi llwyr fwriadu dod i'r cyfarfod, ond yng nghanol yr helynt aeth y cwbl dros gof ganddo.

He had fully intended coming to the meeting, but amidst the fuss he completely forgot about it.

mynd o gof : to lose one's temper

Aeth y garddwr o'i gof pan welodd e gyflwr ei lawnt.

The gardener lost his temper when he saw the condition of his lawn.

rhoi ar gof a chadw : to record ; to note

Mae hi'n bwysig ein bod yn rhoi hen chwedlau ein gwlad ar gof a chadw.

It is important that we record the old legends of our country.

COPA (head)

pob copa walltog : everyone ; without exception
every head with hair on it

Rwy'n siwr bod pob copa walltog sy'n bresennol wedi clywed am ein gŵr gwadd.

I'm sure that everybody present has heard of our guest speaker.

CORFF (body)

corff o bobl : a group ; a body of people

Mae hawl gan unrhyw gorff o bobl i gynnal cyfarfod yn y neuadd.

Any group of people has the right to hold a meeting in the hall.

corff o lenyddiaeth : a corpus of literature ; a large amount
Cynhyrchwyd corff o lenyddiaeth bwysig yng Ngroeg yn yr hen amser er taw gwlad fach oedd hi.
An important body of literature was produced in Greek in ancient times although it was a small country.

corff y gainc : the main point ; the chief subject
Siaradodd y gwleidydd yn hir, ond corff y gainc oedd ei fod e o blaid cael y pwerdy yn yr ardal.
The politician spoke at length but the burden of his speech was that he was in favour of accepting the power-station to the district.

corff yr eglwys : the nave of the church
Gorymdeithiodd y côr drwy gorff yr eglwys.
The choir processed through the nave of the church.

gweithio gorff ac enaid : to work with might and main ; to strive
to work body and soul
Fe weithiodd e gorff ac enaid dros deuluoedd tlawd y ddinas.
He worked with might and main for the poor families of the city.

troi corff heibio : to lay a body out ; to prepare a body for burial after death
Wedi i Mari Owen farw, fe ddaeth dwy gymdoges i'r tŷ i droi'r corff heibio.
After Mari Owen died, two neighbours came to the house to lay the body out.

yng nghorff yr wythnos (dydd) : during the week (day)
in the body of the week (day)
Fe ddaeth yr heddlu yma rywbryd yng nghorff yr wythnos honno.
The police came here sometime during that week.

i) Yr Hen Gorff : i) The Methodists
ii) hen gorff : ii) an old fellow ; an old character
i) Gweinidog ydy e gyda'r Hen Gorff.
He is a minister with the Methodists.
ii) Hen gorff hawdd ei hoffi oedd Dafydd.
Dafydd was an easily likeable old character.

97

CORUN (the crown of the head)

o'r corun i'r sawdl : from head to foot ; all over
from the crown to the heel

Ar ôl chwarae yn yr ardd, roedd llaid dros y bachgen bach o'i gorun i'w sawdl.
After playing in the garden, the little boy was completely covered with mud.

CROEN (skin)

â chroen cyfan : uninjured ; without coming to harm
with whole skin

Drwy lwc, fe ddaethon nhw adref o'r rhyfel â chroen cyfan.
Fortunately, they came home from the war unharmed.

â chroen ei ddannedd : by the skin of one's teeth ; only just

Fe ddihangodd e rhag brodorion yr ynys â chroen ei ddannedd.
He escaped from the natives of the island by the skin of his teeth.

achub fy nghroen : to ensure one's own safety ; to save one's own skin
to save my skin

Dywedais gelwydd wrth y prifathro er mwyn achub fy nghroen fy hun.
I lied to the headmaster to save my own skin.

croen ac esgyrn : skin and bones ; extremely thin

Dim ond croen ac esgyrn oedd hi pan ddaeth hi adref o'r ysbyty.
She was extremely thin when she came home from hospital.

croen ar stori : the truth or plausibility of a tale
skin on a story

Pan honnodd Jac ei fod e'n gwybod hanes personol y prifweinidog, roeddwn i'n amau'n fawr a oedd croen ar ei stori.
When Jack claimed that he knew the Prime Minister's personal business, I doubted very much whether his story was true.

croen ei din ar ei dalcen : in a bad mood ; surly
the skin of his backside on his forehead

Daeth y rheolwr i mewn i'r banc â chroen ei din ar ei dalcen am ei fod e wedi colli allwedd y sêff.

The manager came into the bank in a vile mood as he had lost the key of the safe.

croen iâr (**croen gŵydd**) : goose-flesh
hen's skin (goose's skin)

Chwythai awel lem o gyfeiriad y môr a sylwais ar y croen iâr ar ei breichiau noeth.

A sharp breeze blew from the direction of the sea and I noticed the goose-flesh on her bare arms.

croendenau : thin-skinned ; very sensitive ; extremely hurt

Gan ei bod hi mor groendenau, mae'n rhaid siarad yn ofalus â hi.

As she is so thin-skinned, one has to speak carefully to her.

croendew : thick-skinned

Am ei fod e mor groendew, chafodd sylwadau'r cadeirydd ddim effaith arno.

As he was so thick-skinned, the chairman's remarks had no effect upon him.

llond ei groen : in tip-top condition ; well fed
filling his skin

Safai'r ffermwr o flaen y lle-tân yn llond ei groen yn ei siwt newydd.

The farmer stood before the fireplace amply filling his new suit.

llosgi yn ei groen : dying to do something
burning in his skin

Roedd e'n llosgi yn ei groen eisiau dringo'r mynydd peryglus.

He was dying to climb the dangerous mountain.

methu â byw yn ei groen : to be in a state of anxiety ; in suspense ; to
to be unable to live in his skin   be unable to live with oneself

Os nad yw'r tŷ'n lân mae Mari'n methu â byw yn ei chroen.

If the house isn't clean Mary can't stand it.

mynd â'ch croen : to take everything
to take your skin
Fe aiff honno â'ch croen ond iddi gael cyfle.
That one will take everything you've got, given the opportunity.

mynd dan fy nghroen : to play on one's nerves ; to get under one's skin
Mae gweld menyw yn smygu ar y stryd yn mynd dan fy nghroen.
Seeing a woman smoke on the street gets under my skin.

rhoi dy groen ar y pared : a threat ; I'll kill you
to put your skin on the wall
Dwed hynny eto ac fe roia dy groen di ar y pared.
Say that again and I'll kill you.

tân ar ei groen : something one cannot stand ; fire on my skin
Mae clywed pobl yn lladd ar eraill yn dân ar fy nghroen.
I can't stand hearing people criticising others.

tatws drwy eu crwyn : potatoes baked in their skins
Ein hoff bryd yw tatws drwy eu crwyn a chig moch.
Our favourite meal is potatoes baked in their skin and bacon.

yn iach fy nghroen : unharmed ; unhurt
healthy my skin
Yn wyrthiol, fe ddes i allan o'r car yn iach fy nghroen ar ôl y ddamwain.
Miraculously, I got out of the car uninjured after the accident.

DANT/DANNEDD (tooth/teeth)

ar ddannedd dod : about to come ; just coming
Roedd y trên ar ddannedd dod pan gyrhaeddodd Wil.
The train was about to arrive when Wil came.

bod â dant i rywun : to bear someone a grudge
Does gen i ddim dant i'r plismon er iddo ddweud celwydd yn y llys.
I don't bear the policeman a grudge although he told lies in court.

bwrw rhywbeth i'n dannedd : to be reminded of something dis-
to throw something to our teeth   tasteful
> Dim ond unwaith y ces i help ganddo ond mae e wedi bod yn bwrw
> hynny i'm dannedd byth oddi ar hynny.
> Only once did I receive help from him but he has been reminding
> me of it ever since.

byw ar eu dannedd : of animals having to live on poor pasture ; to live
to live on their teeth   on thin air
> Dydy'r borfa ddim yn dda eleni ac mae rhaid i'r gwartheg byw ar
> eu dannedd.
> The pasture isn't good this year and the cattle have to live on thin
> air.

cael ei fai yn ei ddannedd : to be reminded of one's faults
to have his fault in his teeth
> Pan aeth yr Aelod Seneddol i'r ardal, fe gafodd ei fai yn ei ddannedd
> gan arweinydd y cyngor lleol.
> When the M.P. went to the district, he was reminded of his short-
> comings by the leader of the local council.

cau'r drws ar ei ddannedd : to slam the door in one's face
to shut the door on his teeth
> Pan aeth i'r tŷ i ymddiheuro, caewyd y drws ar ei ddannedd.
> When he went to the house to apologise, the door was slammed in
> his face.

dan ei ddannedd : under one's breath
under his teeth
> Fe fyddai e bob amser yn siarad dan ei ddannedd tra oeddwn ar
> fy nhraed yn annerch cyfarfod.
> He would always mutter under his breath whilst I was on my feet
> addressing a meeting.

dangos ei ddannedd : to show one's anger ; to threaten ; to bare one's
   teeth
> Er ei fod e, fel arfer, yn fachgen eithaf tawel, fe ddangosodd ei
> ddannedd yn gyflym pan feirniadwyd ei chwaer gan y plismon.
> Although he was usually quite a quiet boy, he quickly showed his
> anger when his sister was criticised by the policeman.

dannedd gosod (dodi) : false teeth

Ar ôl inni golli ein dannedd ein hunain, rhaid wrth ddannedd gosod.

After we lose our own teeth, false teeth are necessary.

dant melys : a liking for sweet things ; a sweet tooth

Mae'n anodd iddi golli pwysau am fod ganddi ddant melys.

It is difficult for her to lose weight as she has a sweet tooth.

ewinedd a dannedd : savagely ; with tooth and claw
finger-nails and teeth

Fe ymosododd y gath arnaf ewinedd a dannedd pan geisiais godi'r cathod bach.

The cat attacked me savagely when I tried to lift the kittens.

fel dincod ar ddannedd : something unpleasant ; like teeth on edge

Roedd clywed sŵn ei grwth fel dincod ar ddannedd i'r ferch.

The sound of his violin grated on the girl's ear.

gwaethaf rhywun yn ei ddannedd : in the face of determined opposition

Fe aeth e allan o'r tŷ yn hwyr yn y nos gwaethaf ei dad yn ei ddannedd.

He went out of the house late at night despite his father's determined opposition.

gweld cilddannedd rhywun : to see the ugly side of someone
to see somebody's eye teeth

Mae e'n ymddangos yn ddyn hyfryd ond fe welwch ei gilddannedd e mewn etholiad.

He appears to be nice man but you see his ugly side in an election.

mynd trwy ddannedd un : to set one's teeth on edge
to go through one's teeth

Roedd gweld y plentyn yn sugno lemon yn mynd drwy fy nannedd i.

Seeing the child sucking a lemon set my teeth on edge.

o anfodd ei ddannedd : in spite of one's intense opposition

Fe fu rhaid iddo fynd i'r gymanfa o anfodd ei ddannedd.
He had to go to the singing festival against his will.

rhoi dannedd i rywbeth : to make something effective ; to give a body
to give something teeth power

Awgrymodd rhywun y dylid rhoi dannedd i'r Senedd drwy gan-
iatáu iddi godi ei chyllid ei hun.
Someone suggested that the Senate should be given power by
allowing it to raise its own revenue.

rhywbeth at ei ddant : something to one's liking ; to one's taste
something to his tooth

Fe fyddai'n syn pe na bai'n cael rhywbeth at ei ddant yn yr
Eisteddfod Genedlaethol.
It would be surprising were he not to find something to his taste
at the National Eisteddfod.

siarad (chwerthin) dan ei ddannedd : to mutter (laugh) under one's
to speak (laugh) under his teeth breath

Yn lle mynegi ei farn yn agored mewn cyfarfod, fe fyddai bob amser
yn siarad dan ei ddannedd.
Instead of openly stating his opinion in a meeting, he would always
mutter under his breath.

taflu yn (ar draws) ei ddannedd : to reproach ; to remind somebody
to throw something across his teeth of a favour in an unpleasant way

Fe roddodd e fenthyg arian i'r dyn unwaith ond parhaodd i daflu
hynny yn ei ddannedd am flynyddoedd.
He once lent the man some money but continued to remind him of
the favour for years.

tynnu dannedd : to render something ineffective
to extract teeth

Bu rhai gwleidyddion yn ceisio tynnu dannedd y mesur o flaen
Tŷ'r Cyffredin drwy wrthod rhai cymalau pwysig ynddo.
Some politicians tried to render the bill before the Commons
ineffective by rejecting some important clauses in it.

tynnu dŵr o ddannedd : to make one's mouth water ; to make one
draw water from teeth want something greatly

Roedd gwynt y bwyd yn tynnu dŵr o ddannedd y plant.
The smell of the food made the children's mouth water.

yn nannedd rhywun : in the face of opposition
in someone's teeth

Fe fynnodd hi gael ei ffordd yn nannedd gwrthwynebiad ei thad.
She insisted on having her own way in the face of her father's opposition.

yn nannedd y gwynt : in the teeth of the wind ; into the wind
Roedd hi'n anodd iddo gicio'r bêl yn nannedd y gwynt.
It was difficult for him to kick the ball in the teeth of the wind.

DWRN (fist)

â'i wynt yn ei ddwrn : out of breath ; breathless
with his wind in his fist

Fe gyrhaeddodd Elwyn yr ysgol â'i wynt yn ei ddwrn.
Elwyn reached school out of breath.

cau dwrn : to assume a fighting attitude
to close a fist

Wrth i'r bachgen mawr ei fygwth, doedd gan Dewi ddim i'w wneud ond cau dwrn ac aros ei gyfle.
With the big boy threatening him, there was nothing left for Dewi to do but to put up his fists and await his chance.

codi dwrn : to threaten
to lift a fist

Fe gododd yr athro ddwrn ar y bechgyn wrth iddynt ddechrau siarad yn y dosbarth am yr ail dro.
The teacher threatened the boys as they started to talk in class for the second time.

chwerthin yn fy nwrn   :   to laugh up one's sleeve
to laugh in my fist
> Mae'n siwr bod Mr. Smith yn chwerthin yn ei ddwrn wrth glywed
> yr Ysgrifennydd Tramor yn siarad mor ffôl.
> It is certain that Mr. Smith was laughing up his sleeve, hearing the
> Foreign Secretary talking so foolishly.

dwrn y drws   :   door-knob ; the handle of the door
the fist of the door
> Mae'n amlwg fod ôl bysedd y lleidr ar ddwrn y drws.
> It is obvious that the thief's fingerprints are on the door-knob.

llond dwrn   :   a few ; a very small number
a fist full
> Dim ond llond dwrn o bobl oedd yn y capel y bore 'ma.
> There were only a few people in chapel this morning.

tan fy nyrnau   :   by feeling my way ; groping
under my fists
> Llwyddais i symud ar hyd y coridor tywyll dan fy nyrnau.
> I succeeded in moving along the dark corridor, groping my way.

ENAID (soul)

ar f'enaid   :   an oath ; Upon my soul ! ; By golly !
> Ar f'enaid i, chaiff e ddim mo'i ffordd !
> By golly, he won't have his way !

dienaid   :   silly ; stupid
> Roedd Dafydd yn ddienaid yn ceisio rhwystro'r lleidr gan fod
> dryll ganddo.
> Dafydd was stupid trying to stop the thief as he had a gun.

dim enaid byw   :   not a soul ; nobody at all
> Does dim enaid byw o gwmpas y dref ar noson mor dywyll.
> There isn't a soul about town on such a dark night.

enaid   :   darling ; sweetheart ; a term of endearment
> Mae'n dda gen i dy weld ti, f'enaid.
> I'm glad to see you, darling.

pob perchen enaid : everybody ; every living soul
every owner of a soul
> Teimlai pob perchen enaid yn yr ardal yn drist ar ôl y trychineb.
> Everybody in the district felt sad after the tragedy.

wrthi nerth enaid a chorff : with might and main ; vigorously
at it with the strength of soul and body
> Roedden nhw wrthi nerth enaid a chorff yn ceisio ennill y ras dros
> eu gwahanol wledydd.
> They were at it body and soul trying to win the race for their
> respective countries.

EWIN (a nail)

ati ewinedd a dannedd : fighting with no holds barred ; by all poss-
at it nails and teeth   ible means
> Cyn i'r tafarnwr gael cyfle i'w rhwystro, roedden nhw ati ewinedd
> a dannedd yn Gymry a Gwyddelod yn y bar a'r lolfa.
> Before the licensee could stop them the Welsh and Irish were at it
> tooth and nail in the bar and the lounge.

byw wrth ei ddeg ewin : to live by one's own labour
to live by his ten finger nails
> Roedd ei iechyd yn bwysig iawn i Siams gan ei fod yn byw wrth ei
> ddeg ewin.
> Health was very important to James as he made his living by
> physical labour.

cyfewin : detailed ; minute ; to a nicety
> Roedd rhaid i'r saer fesur yn gyfewin wrth lunio'r gadair.
> The carpenter had to work to a fraction as he fashioned the chair.

ewin o : a small portion of
> Dim ond ewin o sebon oedd ar ôl ar waelod y bath.
> There was only a small piece of soap remaining on the bottom of
> the bath.

ewin o leuad newydd

Dim ond ewin o leuad newydd oedd i'w weld yn yr awyr.
Only a thin segment of the new moon was to be seen in the sky.

lled ewin : a very small width : very close
the breadth of a nail

Gwelodd y saer fod y drws yn rhy fawr o led ewin.
The carpenter saw that the door was a shade too large.

rhywbeth dan ei ewin : ı) something worth saying
something under his nail ii) something in hand ; something in reserve

i) Doeddwn i byth yn blino ar wrando ar y pregethwr gan fod
ganddo rywbeth dan ei ewin bob amser.
I never tired of listening to the preacher as he always had something
to say.
ii) Y dyddiau hyn mae rhaid wrth ychydig dan eich ewin erbyn
ichi ymddeol.
These days it is necessary to keep a little in reserve by the time you
retire.

tynnu'r ewinedd o'r blew : to prepare oneself for a task
to draw the nails from the fur

Ar ôl gwyliau hir yr haf, daeth dechrau'r tymor o'r diwedd, a rhaid
oedd tynnu'r ewinedd o'r blew unwaith yn rhagor.
After the long summer vacation, the beginning of term at last
arrived, and one had to prepare for work.

wrthi â'i ddeg ewin : all out ; working might and main
at it with his ten nails

Fe fu wrthi â'i ddeg ewin yn gosod llechi newydd ar y to cyn delai'r
glaw.
He worked full-out fitting new slates on the roof before the rain
came.

FFROEN (nostril)

ffroendenau : with a sharp sense of smell
thin-nosed

Er ei bod hi'n ffroendenau iawn, wyntodd hi mo'r saim yn llosgi.
Although she had a sharp sense of smell, she didn't smell the fat burning.

ffroenuchel : haughty ; proud
high-nosed

Does neb yn ei hoffi hi am ei bod hi'n ffroenuchel.
Nobody likes her as she is haughty.

GÊN (jaw, chin)

dylyfu gên : to yawn

Ar ôl gwrando arno am chwarter awr, fe fyddai'r dosbarth yn dechrau dylyfu gên.
After listening to him for a quarter of an hour, the class would start to yawn.

o anfodd ei ên (ar waethaf ei ên) : in spite of oneself

Fe ddywedodd y llanc bopeth wrth y plismon o anfodd ei ên.
The youth told the policeman everything despite himself.

GENAU (mouth, lips)

byw o'r llaw i'r genau : living from hand to mouth ; with nothing in reserve

Does dim dimai goch ganddyn nhw erbyn hyn ac mae rhaid iddyn nhw fyw o'r llaw i'r genau.
They haven't a brass farthing by now and they must live from hand to mouth.

dweud â'i enau am ei ddaint : to speak with one's tongue in one's
saying with his lips over his teeth cheek

> "Ydw, rydw i'n meddwl ei bod hi'n bert iawn," ebe Tom â'i enau
> am ei ddaint pan ofynnodd Mrs. Jones iddo a oedd e'n hoffi ei het
> fawr, hyll.
> "Yes, I think it's very pretty," said Tom with his tongue in his
> cheek when Mrs. Jones asked him if he liked her large, ugly hat.

genau a thafod : a spokesman
mouth and tongue

> Er bod deg ar hugain o blant yn yr ystafell, Ifan oedd genau a
> thafod y dosbarth cyfan bob amser.
> Although there were thirty children in the room, Ifan was always
> the spokesman for the whole class.

genau sach : the mouth of a sack
the lips of a sack

> Roedd y moch bach yn stryffaglan yn ceisio dod allan drwy enau'r
> sach.
> The piglets were struggling, trying to get out through the mouth of
> the sack.

genau yng ngenau : in close conversation ; speaking furtively

> Dyna ble roedd y ddwy ferch enau yng ngenau yn sibrwd yn y
> cornel.
> That's where the two girls were whispering furtively in the corner.

GEWYN (sinew)

rhoi pob gewyn ar waith : to strive might and main ; to work full-out
to put every sinew to work

> Bydd rhaid rhoi pob gewyn ar waith i symud y llwyth cyn iddi nosi.
> We shall have to work full-out to move the load before nightfall.

GWAED (blood)

am fy ngwaed : to seek retaliation ; out to get someone
for my blood

>Wedi imi gicio'r chwaraewr ar ddamwain pan oedd e ar y llawr roedd gweddill ei dîm am fy ngwaed.
>After I accidentally kicked the player when he was on the floor, the rest of the team were after my blood.

cig a gwaed : human ; fallible
flesh and blood

>Feirniadais i ddim mohono, er ei fod e wedi bod yn ffôl, gan mai creadur o gig a gwaed yw ef fel minnau.
>I didn't criticise him, although he had been foolish, as he is only human like me.

gwaed coch cyfan : a thoroughbred ; of unmixed blood
whole red blood

>Mae Alun yn Gymro o waed coch cyfan.
>Alun is a Welshman through and through.

gwaed dyn byw ! gwaed hwch ! gwaed swllt ! : Zounds ! Good gracious !

>Gwaed dyn byw ! Dyma le !
>Good gracious ! What a place !

gwaed gwirion : innocent people
innocent blood

>Mewn unrhyw ryfel mae'n sicr y collir llawer o waed gwirion.
>In any war it is certain that a lot of innocent blood will be shed.

gwaed ifanc/newydd : young blood

>Wrth wrando ar y côr roedd hi'n amlwg fod eisiau mwy o waed ifanc ynddo.
>Listening to the choir it was obvious that it needed more young people.

gwaed yr ael   :   covered in blood
the blood of the brow

> Maen nhw wedi bod yn ymladd nes eu bod nhw'n waed yr ael
> They have been fighting until they are covered in blood.

hyd at waed   :   to the point of spilling blood ; causing bloodshed

> Fe drodd pethau'n gas ac fe fuon nhw'n ymladd hyd at waed.
> Things turned nasty and they fought to the point of bloodshed.

mae gwaed yn dewach na dŵr   :   blood is thicker than water

> Does dim rhyfedd iddo amddiffyn ei frawd.   Mae gwaed yn
> dewach na dŵr.
> No wonder he defended his brother.   Blood is thicker than water.

mewn gwaed oer   :   i) in cold blood ; fully aware of what one is doing
> ii) in a considered manner ; cooly ; in a calculated way

> i) Lladdwyd y ferch mewn gwaed oer gan y llofrudd.
> The girl was killed in cold blood by the murderer.
> ii) Er ei fod e'n sylweddoli y gallai gael ei ladd, fe benderfynodd
> Aled mewn gwaed oer y dylai geisio achub y ddafad.
> Although he realised that he could be killed, Aled decided in a
> calculated way that he should try to rescue the sheep.

o hanner gwaed   :   a half-breed ; not thoroughbred
of half blood

> Er ei fod e wedi byw yn Ffrainc ar hyd ei oes, roedd e'n Gymro o
> hanner gwaed.
> Although he had lived in France throughout his life, he had Welsh
> blood in him.

o waed da   :   of good birth ; from a good family
of good blood

> Er ei bod hi'n dlawd erbyn hyn, mae pawb yn dweud ei bod hi o
> waed da.
> Although she is poor by now, everybody says that she comes from
> a good family.

rhedeg yn y gwaed : a family trait ; to run in the blood

> Mae Gwynfor, fel ei dad a'i dad-cu o'i flaen, yn bysgotwr da. Mae'n amlwg bod pysgota'n rhedeg yng ngwaed y teulu.
> Gwynfor, like his father and grandfather before him, is a good angler. It's obvious that it runs in the family.

tywallt gwaed : to shed blood

> Roedd llawer o dywallt gwaed yn ystod y gwrthdaro rhwng y terfysgwyr a'r fyddin.
> There was a great deal of bloodshed during the clash between the rioters and the army.

GWALLT (hair)

â'i gwallt am ei dannedd : with dishevelled hair
with her hair about her teeth

> Fe ddaeth hi i mewn i'r tŷ i gysgodi rhag y storm â'i gwallt am ei dannedd.
> She came into the house to shelter from the storm with her hair dishevelled.

gwallt gwyllt : hair which stands up on end even after brushing
wild hair

> Ar ôl cysgu'n lletchwith, roedd gan Sam wallt gwyllt er gwaethaf ei ymdrechion i'w frwsio.
> After sleeping awkwardly, Sam's hair was standing up on end despite his efforts to brush it.

gwallt to : hair combed to cover a bald patch
roof hair

> Nid oedd hyd yn oed ei wallt to cyfrwys yn gallu cuddio'r ffaith ei fod e'n cyflym fynd yn foel.
> Even the cunning brushing of his hair couldn't disguise the fact that he was rapidly balding.

mynd gerfydd ei wallt : to go unwillingly
to go by his hair

> Aeth Dewi i'r gwely gerfydd ei wallt.
> Dewi went to bed unwillingly.

peri i'r gwallt godi : to cause fright or disbelief ; to make hair stand on end

Pan welais i'r ffilm am y tro cyntaf, fe barodd i 'ngwallt godi.
When I saw the film for the first time, it frightened me greatly.

GWAR (nape of the neck)

bod ar war (rhywun/rhywbeth) : i) to be ready to pounce ; in hot
to be on the nape of someone's neck pursuit ; to be on top of someone
ii) to be right on top of a job

i) Fe redodd y lleidr o'r tŷ ond roedd y plismon ar ei war e'n syth.
The thief ran from the house but the policeman was on to him at once.
ii) Roedd Tom wedi bod wrthi'n galed ers wythnosau'n trwsio'r tŷ ond teimlai ei fod e ar war y gwaith erbyn hyn.
Tom had been working hard for weeks repairing the house but he felt that he was on top of the job by now.

dros war y blynyddoedd : back over the years

Ar ddiwedd ei oes edrychai'r Athro yn ôl dros war y blynyddoedd a chofio'r caledi a fu.
At the end of his life the Professor used to look back over the years and remember the hardship of the past.

gwargaled : stubborn

Gan ei fod e'n nodedig o wargaled doedd dim diben inni geisio newid ei feddwl.
As he was extremely stubborn there was no point in us trying to change his mind.

gwargrymu : stooping ; ageing

Er ei bod hi'n gefnsyth yn ifanc, erbyn hyn roedd hi'n gwargrymu'n ddrwg.
Although she was upright when she was young, she was, by now, stooping badly.

gwneud gwar : to hunch up ; to prepare oneself to receive a blow
Wrth i'r athro godi ei gansen, fe wnaeth y bachgen war i dderbyn yr ergyd.
As the teacher raised his cane, the boy hunched himself up to receive the blow.

unioni gwar : to make someone feel more of a man
to straighten the back
Cannolai'r prifathro'r bachgen bob amser gan obeithio y byddai'n unioni ei war maes o law.
The headmaster always praised the boy, hoping that that would make a man of him in time.

GWDDF (neck, throat)

bod yng ngyddfau'i gilydd : to be at each other's throats ; to quarrel
Cyn pen dim roedd blaenwyr y ddau dîm yng ngyddfau'i gilydd.
In next to no time the forwards of both teams were at each other's throats.

carthu gwddf : to clear one's throat
Fe garthodd y cadeirydd ei wddf yn swnllyd i ddangos ei fod e'n barod i ddechrau'r cyfarfod.
The chairman cleared his throat noisily to indicate that he was ready to start the meeting.

corn gwddf : throat
Er bod y plentyn yn protestio, fe arllwysodd y fam y moddion i lawr ei gorn gwddf â llwy.
Although the child was protesting, the mother poured the medicine down his throat with a spoon.

gwddf o dir : an isthmus
a neck of land
Gwn fod gwddf o dir yn cysylltu De a Gogledd America.
I know that there is an isthmus connecting North and South America.

114

gwddf potel : the neck of a bottle
Fe aeth ei fys yn sownd yng ngwddf y botel.
His finger became stuck in the neck of the bottle.

gwddf tost : a sore throat
Yn yr hen amser roedden nhw'n defnyddio saim gŵydd at wddf tost.
In the old days they used to use goose grease for a sore throat.

gwddf yng ngwddf : to be at each other's throats
(gweler : bod yng ngyddfau'i gilydd)

GWEGIL (nape of the neck)

troi gwegil ar : to turn one's back on
Aeth Albert Schweitzer i Affrica gan droi ei wegil ar bethau'r byd.
Albert Schweitzer went to Africa, turning his back on worldly things.

yn fy ngwegil : behind my back
Er eu bod nhw'n fy nghanmol yn gyhoeddus, gwyddwn eu bod nhw'n feirniadol iawn ohonof yn fy ngwegil.
Although they praised me in public, I knew that they were critical of me behind my back.

IAU (liver)

iau : the guts ; the heart ; the gumption
Doedd gen i mo'r iau i ddweud wrtho nad oedd e yn y tîm.
I didn't have the guts to tell him that he wasn't in the team.

LLAW/DWYLO (hand/hands)

ail-law : second hand
Gan fod y teulu'n dlawd, byddai'r plant bob amser yn gwisgo dillad ail-law.
As the family was poor, the children always wore second-hand clothes.

allan o law : at once ; without delay
out of hand
Addawodd e anfon y llythyr ataf allan o law.
He promised to send me the letter at once.

ar law rhywun : within one's competence ; given the opportunity
on someone's hand
> Byddaf yn barod i helpu os daw ar fy llaw.
> I shall be ready to help given the chance.

bod â llaw rydd : to be single ; unmarried
to be with a free hand
> Llwyddodd Siôn i gynilo llawer pan oedd â llaw rydd.
> Siôn managed to save a lot when he was single.

bod yn llawdrwm ar : to be critical
to be heavy-handed on
> Mae hen bobl yn rhy lawdrwm o lawer ar y bobl ifainc.
> Old people are far too critical of young people.

cadw fy nwylo'n lân : to keep clear of dishonest or immoral dealings
to keep my hands clean
> Er bod llawer o bobl annonest yn gweithio gyda fe, llwyddodd
> Mr. Davies i gadw ei ddwylo'n lân.
> Although there were many dishonest people working with him,
> Mr. Davies succeeded in keeping his hands clean.

cadw'r dwylo'n lân : to act honestly and above board
to keep the hands clean
> Er bod pawb yn y ffatri'n dwyn oddi ar y perchen, llwyddodd Dewi
> i gadw ei ddwylo'n lân.
> Although everybody in the factory was stealing from the owner,
> Dewi succeeded in remaining honest.

cael llaw drom gyda : to have a difficult time with someone (especially
to have a heavy hand with with a sick person)
> Am ei fod e'n fethedig cafodd ei fam law drom gydag ef am
> flynyddoedd.
> As he was disabled his mother had a difficult time with him for
> years.

cael (rhywbeth) i'n dwylo : to gain possession of something
to get (something) into our hands
> Ar ôl ceisio ei brynu lawer gwaith, cawsom ni'r darlun i'n dwylo
> o'r diwedd.
> After having tried to buy it many times, we, at last, got possession
> of the painting.

cael y llaw uchaf ar : to subdue ; to gain the upper hand

Roedd hi'n amlwg i bawb ei fod e wedi cael y llaw uchaf ar ei wrthwynebydd yn y ddadl.
It was obvious to everybody that he had got the better of his adversary in the debate.

colli llaw ar : to lose one's skill
to lose one's hand on

Mae'n amlwg nad yw Mari wedi colli ei llaw ar wneud teisen er ei bod hi'n hen.
It's obvious that Mary hasn't lost her skill at making cake although she is old.

curo dwylo : to applaud ; to clap

Pan ddaeth yr arweinydd i'r llwyfan roedd pawb yn curo dwylo.
When the conductor came to the stage everyone was clapping.

dal fy nwylo (also, "**plethu dwylo**") : to laze ; to be idle
to hold my hands (to plait hands)

Rhaid imi ailgydio yn y gwaith yn lle dal fy nwylo fel hyn.
I must restart the work instead of idling like this.

dan eu dwylo : i) in ignorance
under their hands   ii) whilst they were working on it

i) Dydw i ddim yn siarad dan fy nwylo pan ddywedaf ei fod e'n ddyn annonest.
I am not speaking in ignorance when I say that he is a dishonest man.

ii) Os nad ydw i'n ofalus gall y llyfr fynd yn hir dan fy nwylo.
If I am not careful the book will become long whilst I am working on it.

dan fy llaw : signed by me
under my hand

Fe gewch chi nodyn dan fy llaw i'w roi i'r swyddog.
You shall have a note signed by me to give to the official.

117

dwy law chwith : an awkward person ; useless
two left hands

> All e ddim gwneud unrhyw beth o gwmpas y tŷ. Dwy law chwith sydd ganddo.
> He can't do anything around the house. He is useless.

dwylo blewog : to be light fingered ; to steal
hairy hands

> Fe gollodd y ferch ei swydd yn y banc am fod dwylo blewog ganddi.
> The girl lost her job in the bank as she was light fingered.

golchi ei ddwylo o : to avoid involvement ; to wash one's hands of

> Pan aeth y cwmni i drafferthion ariannol fe olchodd ei ddwylo ohono er mai ef oedd ar fai, mewn gwirionedd.
> When the company had financial difficulties he didn't want anything to do with it, although he was, in fact, to blame.

gyda llaw : by the way

> Gyda llaw, ble mae dy frawd nawr ?
> By the way, where is your brother now ?

help llaw : help ; aid

> Bydd rhaid imi gael help llaw os ydw i'n mynd i orffen heno.
> I shall have to have help if I am to finish tonight.

help llaw chwith : help which is unwillingly given
left handed help

> Fe ddeuai i'n cynorthwyo weithiau ar y fferm ond teimlem bob amser taw help llaw chwith ydoedd.
> He would sometimes come to help us on the farm but we always felt that it was unwillingly given.

hen ddwylo : older, experienced people ; old hands

> Roedd rheolwr y pwll glo'n falch bod rhai o'r hen ddwylo yno i'w gynghori ar ôl y ddamwain.
> The colliery manager was glad that some of the older men were there to advise him after the accident.

hen law ar : to be experienced ; expert ; to be well used to doing
an old hand at something

Roedd hi'n hen law ar wneud teisen Nadolig.
She was expert at making Christmas cake.

iro ei law : to bribe ; to give someone money for personal gain
to grease his hand

Roedd rheolwr y pwll glo'n fodlon inni gael digon o goed tân ond
inni iro ei law yn awr ac yn y man.
The manager of the colliery was willing for us to have plenty of
firewood if we greased his palm now and again.

law yn llaw : hand in hand

Cerddai'r plant law yn llaw i'r ysgol.
The children would walk hand in hand to school.

llaesu dwylo : to rest on one's oars ; to be idle ; to relax

Ar ôl diwrnod caled o waith mae hi'n braf llaesu dwylo o flaen y
tân gyda'r nos.
After a hard day's work it's nice to relax in front of the fire of an
evening.

llaw-agored : generous ; open-handed

Gallem fynd ato am gyfraniad unrhyw bryd am ei fod yn llaw-
agored wrth natur.
We could go to him for a contribution any time as he was generous
by nature.

llond fy nwylo : a great deal of work ; plenty to do
my hands full

Rhwng gofalu am ei theulu, y siop a'r ardd, roedd ganddi lond ei
dwylo.
Between looking after her family, the shop and the garden, she had
plenty to do.

llond llaw (**cf. llond dwrn**) : a handful ; a small amount/number
Dim ond llond llaw oedd yn y capel y bore 'ma.
There were only a few in chapel this morning.

maes o law : in time ; in a little while
Mae e allan nawr, ond fe ddaw e adre maes o law.
He's out now, but he'll come home in a little while.

rhoi gwaith drwy fy nwylo : to work quickly and effectively
to put work through my hands
Gan mor gyflym y rhoddai hi waith drwy ei dwylo, chredai neb ei bod hi'n ddall.
She worked so quickly and effectively that nobody would believe that she was blind.

rhwng eu dwylo : to lose something unexpectedly
between their hands
Er bod meddygon a nyrsys o'i gwmpas yn gyson fe aeth e rhwng eu dwylo.
Although there were doctors and nurses around him constantly he died unexpectedly.

talu ar law : to pay down
to pay on hand
Talodd y dyn ar law am y car.
The man paid down for the car.

tipyn o law : a favourite ; a character
a bit of a hand
Roedd Alun, heb amheuaeth, yn dipyn o law gyda'r merched.
Alun, without doubt, was quite a favourite with the girls.

tynnu llaw dros ben : to flatter
to draw the hand over the head ; *to stroke*
Byddai'r athro weithiau'n cael bod tynnu llaw dros ben y plant yn fwy effeithiol na'u ceryddu.
The teacher sometimes found that flattering the children was more effective than scolding them.

120

uwchlaw : above
Gofalai am ei gartref a'i deulu uwchlaw popeth arall.
He looked after his home and family above all else.

wrth law (also, "gerllaw") : at hand ; handy
Roedd hi'n ffodus fod plismon wrth law pan aeth y tŷ ar dân.
She was fortunate that there was a policeman at hand when the house went on fire.

ymlaen llaw (also, "rhag llaw") : before hand
Mae croeso ichi aros yma unrhyw bryd ond cofiwch rhoi gwybod inni ymlaen llaw.
You are welcome to stay here any time, but remember to let us know before hand.

yn llaw ac yn droed i (rywun) : to tend completely upon someone
hand and foot to someone
Pan aeth hi'n dost bu ei gŵr yn llaw ac yn droed iddi.
When she became ill her husband did everything for her.

yn llawiau : friends ; companions
hands
Mae pawb yn yr ardal yn gwybod bod y ddau hen ŵr yn llawiau garw.
Everyone in the district knows that the two old men are great pals.

ysgwyd llaw at y penelin : to shake hands vigorously
to shake hands to the elbow
Nid esgus o groeso ges i ganddo ond ysgwyd llaw at y penelin.
He didn't give me a half-hearted welcome but shook my hand heartily.

LLYGAD (LLYGAID) (eye/eyes)

amcan llygad a lled llaw : rule of thumb ; a rough measurement ;
an estimate of the eye and the   to estimate size
width of the hand
Does dim ffon fesur gen i. Bydd rhaid gweithio wrth amcan llygad a lled llaw.
I don't have a rule. I'll have to estimate.

bod â llygaid yn fy mhen : to see one's chance ; to be astute ; to know
to be with eyes in my head exactly what one is doing

    Roedd Sam â'i lygaid yn ei ben pan brynodd e siop y pentref.
    Sam knew exactly what he was doing when he bought the village
    shop.

cannwyll fy llygad : i) the pupil of my eye
the candle of my eye ii) the apple of my eye ; a favourite

    i) Aeth nodwydd i gannwyll llygad y plentyn.
    A needle went into the pupil of the child's eye.
    ii) Jacob oedd cannwyll llygad ei dad.
    Jacob was his father's favourite.

cau llygaid ar : to ignore ; to turn a blind eye to
to shut one's eyes on

    Camgymeriad oedd cau llygaid ar yr adroddiadau anffafriol cyn
    prynu'r chwaraewr.
    It was a mistake to ignore the adverse reports before buying the
    player.

cil llygad : the corner of the eye

    Sylwais fod y dyn wrth y bar yn edrych arnaf drwy gil ei lygad ac
    roedd arnaf ofn.
    I noticed that the man at the bar was looking at me out of the
    corner of his eye, and I was afraid.

dolur llygad : an eye-sore ; something unpleasant to the eye

    Cytunai pawb fod y domen sbwriel yn ddolur llygad i ymwelwyr.
    Everyone agreed that the rubbish dump was an eyesore to visitors.

ei lygaid yn fwy na'i fola : to take on more than you can chew ;
his eyes larger than his stomach taking more food than one can eat

    Llwythodd y plentyn ei blat â bwyd ond allai e ddim ei fwyta.
    Roedd ei lygaid yn fwy na'i fola.
    The child piled his plate with food but he couldn't eat it. He had
    taken more than he could chew.

gwneud llygaid bach ar : to give the glad eye ; to make eyes at a female
to make small eyes at

Teimlai Ann yn anghyfforddus gan fod y bachgen a weithiai wrth y ddesg gyferbyn â hi yn gwneud llygaid bach arni o hyd.

Ann felt uncomfortable as the boy who worked at the desk opposite her was continually making eyes at her.

hoelio ei lygaid ar : to fix one's attention on ; to give one's undivided
to nail his eyes on attention to something

Fe hoeliodd y cefnwr ei lygaid ar y bêl a'i dal yn ddiogel er bod y blaenwyr yn rhuthro ato.

The fullback fixed his eye on the ball and caught it safely although the forwards were rushing towards him.

llygad ar ysgwydd : wary ; watchful ; cautious
an eye on a shoulder

Gan fod arno ofn ei elynion, roedd e fel petai â'i lygad ar ei ysgwydd bob amser.

As he feared his enemies, he always appeared to be watchful.

llygad y ffynnon : the exact source ; from the horse's mouth
the eye of the spring/fountain

Fe ges i'r stori o lygad y ffynnon gan mai'r enillydd ei hun ddywedodd wrtho i.

I had the story from the horse's mouth as it was the winner himself who told me.

llygad yn llygad : to see eye to eye ; to agree ; to get on with

Dydw i erioed wedi gweld lygad yn llygad â'r prifathro.

I have never agreed with the headmaster.

llygad yr haul : in direct sunlight
the eye of the sun

Fe losgodd hi'n ddrwg am ei bod hi wedi bod yn gorwedd yn llygad yr haul.

She burnt badly because she had been lying in direct sunlight.

llygaid o saim   :   traces of fat
eyes of fat

Roeddwn i'n hoffi gweld llygaid o saim fel sêr ar wyneb y cawl.
I used to like seeing traces of fat like stars on the surface of the broth.

llygedyn o olau (**dân**)   :   a glimmer of light (of fire)

Ymddangosai fod y tŷ mewn tywyllwch ond gwelwn lygedyn o
olau'n dod o dan ddrws ym mhen draw'r cyntedd.
It seemed that the house was in darkness but I could see a glimmer
of light coming from under a door at the far end of the hall.

rhoi bys yn llygad   :   to do something deliberately to aggravate
to put a finger in the eyes

Roedd y plant yn cadw sŵn yn yr ardd dim ond er mwyn rhoi bys
yn llygad y dyn drws nesaf.
The children were making a noise in the garden only to annoy the
man next door.

rhoi llwch yn llygaid   :   to conceal something from someone ; to throw
to put dust in the eye   dust in somebody's eye

Ceisiodd roi llwch yn fy llygaid drwy ddweud bod ei chwaer wedi
mynd ar ei gwyliau, ond gwyddwn ei bod hi gartref.
He tried to deceive me by saying that his sister was on holiday but
I knew she was at home.

Siôn llygad y geiniog   :   i) a man who sees every opportunity of making
(**also, "Siôn edrych yn llygad y geiniog"**)   a penny
                              ii) someone who is careful with money

i) Siôn llygad y geiniog oedd ef, yn achub pob cyfle i weithio
gor-amser.
He had an eye for making a penny, seizing every opportunity to
work overtime.
ii) Fydd y Siôn llygad y geiniog yna byth yn rhoi dimai goch at
unrhyw achos da.
That miser will never contribute a brass farthing towards any
good cause.

ym myw llygad : straight in the eye
in the pupil of the eye

"Nid fi gymerodd yr arian," ebe'r bachgen gan edrych ym myw fy llygad.

"It wasn't I who took the money," said the boy, looking me straight in the eye.

yn llygad ei le : dead right ; correct

Roedden nhw yn llygad eu lle pan feirniadon nhw'r cyngor.

They were dead right when they criticised the council.

yn llygad yr amser : at the appropriate time

Fe gyrhaeddodd e yn llygad yr amser i weld yr orymdaith yn mynd heibio.

He arrived just at the right time to see the procession passing by.

MÊR (bone marrow)

ym mêr fy esgyrn : instinctively ; in my bones

Gwyddwn ym mêr fy esgyrn ei fod e'n dweud celwydd.

I knew in my bones that he was telling lies.

MIGWRN (ankle ; wrist ; knuckle)

heb na migwrn ac asgwrn : to disappear without trace
without either knuckle or bone

Fe ddiflannodd e'n sydyn o'r ardal heb adael na migwrn nac asgwrn ar ei ôl.

He disappeared suddenly from the district without trace.

pob migwrn ac asgwrn : the whole body ; every bone in one's body
every knuckle and bone

Ar ôl gweithio'n galed yn yr ardd drwy'r dydd roedd pob migwrn ac asgwrn yn brifo.

After working hard in the garden all day every bone in my body was aching.

125

OCHR/YSTLYS (side)

draenen yn ystlys   :   a thorn in the flesh ; one who worries others
a thorn in a side

Gan ei fod e mor gyflym, roedd mewnwr Cymru yn ddraenen yn ystlys y Saeson drwy'r gêm.
As he was so fast, the Welsh inside-half was a thorn in the Englishmen's flesh throughout the game.

dangos ei ochr   :   to show one's colours ; to show prejudice
to show his side

Fe ddangosodd y cadeirydd ei ochr yn glir pan bleidleisiodd e gyda pherchnogion y ffatri.
The chairman showed his colours clearly when he voted with the factory owners.

PEN (head)

â 'mhen wrth y post   :   confined to one place or to one job
with my head by the post

Yno roedd e yn y siop â'i ben wrth y post ar hyd ei oes.
There he was, confined to the shop throughout his life.

â 'mhen yn fy mhlu   :   sad ; disheartened
with my head in my feathers

Ar ôl methu'r arholiad fe fu am gyfnod hir â'i phen yn ei phlu.
After failing the examination she felt disheartened for a long time.

â 'mhen yn y gwynt   :   to wander without purpose ; irresponsible
with my head in the wind

Pan welen ni ef yn fachgen ifanc â'i ben yn y gwynt bob amser, prin y disgwylien ni iddo dyfu'n enwog.
Seeing him so heedless and irresponsible as a young boy, we hardly expected him to become famous.

ar ben   :   finished ; over

Daeth y bobl allan o'r capel pan oedd y gwasanaeth ar ben.
The people came out of the chapel when the service was over.

ar ben ar : all up with ; finished

Mae'r meddyg yn dweud ei bod hi ar ben ar Dai.
The doctor says that it's all up with Dai.

ar ben dod : on the point of coming

Roedden nhw ar ben dod o'r clwb pan ddigwyddodd y ffrwydrad.
They were at the point of coming from the club when the explosion happened.

ar ben ei ddigon : i) to be delighted
                     ii) to be well off

i) Ar ôl ennill y wobr gyntaf roedd e ar ben ei ddigon.
He was delighted after winning the first prize.
ii) Unwaith roedden nhw'n dlawd ond nawr maen nhw ar ben eu digon.
Once they were poor but now they are well off.

ar ben set : at the last minute

Fe newidiodd e ei feddwl ar ben set.
He changed his mind almost at the last moment.

ar ben y drws : on the doorstep

Mae'r menywod wrth eu bodd yn clebran ar ben drws bob bore.
The women are in their oils gossiping on the doorstep every morning.

ar ei ben : i) to answer definitely or directly ; immediately
             ii) exact ; to the last penny (of money)

i) Atebodd y cwestiwn ar ei ben heb unrhyw drafferth.
He answered the question immediately without trouble.
ii) Dyma'r arian ichi am y tocyn ar ei ben.
Here's the exact money for the ticket.

ar ei ben ei hun : on his own ; unique

Mae Alwyn yn gymeriad ar ei ben ei hun.
Alwyn is an original character.

benben : at loggerheads
head to head

O fewn munud neu ddau roedd y ddwy garfan yn benben â'i gilydd.
Within a minute or two the two groups were at loggerheads.

berwi ei ben : to have one's head read ; of someone who has done
to boil his head something silly

Mae eisiau berwi ei ben e am wrthod y cynnig.
He's very foolish in refusing the offer.

bod dros ben rhywun : i) to be beyond one's comprehension or
to be over one's head control
ii) to be part of one's experience

i) Yn anffodus, roedd ymresymiad y gweinidog dros ei phen hi.
Unfortunately, the minister's reasoning was beyond her comprehension.
ii) Dyna'r cyfnod hapusaf fu dros fy mhen i erioed.
That's the happiest period I ever experienced.

cadw ei ben : to keep control of himself
to keep his head

Er bod y dorf yn hisian, fe gadwodd ei ben a throsi'r cais o'r ystlys.
Although the crowd was hissing, he kept his head and converted the try from the touchline.

cnocio'ch pennau yn ei gilydd : to punish in order to make someone
to knock your heads together see sense

Mae eisiau cnocio'ch pennau yn ei gilydd am ymladd fel 'na.
You should be punished for fighting like that.

codi i ben rhywun : an impulse; an action on the spur of the moment
to rise to someone's head

Wn i ddim beth gododd i'w ben i daflu carreg drwy'r ffenest.
I don't know what impulse prompted him to throw a stone through the window.

colli ei ben : to lose my temper ; to fail to keep cool
to lose his head

A'r gôl yn wag o'i flaen, fe gollodd ei ben a chicio'r bêl dros y trawsbren.
With the goal empty before him, he lost his head and kicked the ball over the bar.

cymryd yn ei ben : to decide (sometimes without thinking)
to take in his head

Fe gymerodd yn ei ben i fynd am dro i ben y mynydd ganol nos.
He decided to go for a walk to the top of the mountain at midnight.

chwerthin am ben : to laugh at someone

Pam mae'r plant yn chwerthin am ben yr athro ?
Why are the children laughing at the teacher ?

chwilen yn ei ben : gw. chwilen

dal pen rheswm : to converse ; to chat

Fe fyddai'r hen ŵr wrth ei fodd yn dal pen rheswm ag ymwelwyr ar sgwâr y pentref.
The old man used to be in his oils chatting to visitors on the village square.

dod i ben : i) to finish ; to complete
ii) to come to a head ; to ripen
iii) to come into being
iv) to become true ; to verify

i) Cyn bo hir fe ddaw'r gwaith i ben.
Before long the work will come to an end.
ii) Ymhen ychydig ddyddiau fe ddaeth y cornwyd i ben a thorri.
After a few days the boil came to a head and burst.
iii) Fe ddaw'r amser i ben pryd y gallwn deithio i blanedau eraill.
The time will come when we shall be able to travel to other planets.
iv) Fe welwch chi y bydd yr addewidion hyn yn dod i ben.
You shall see that these promises will be fulfilled.

dod i ben â : to succeed in ; to manage
to come to a head with
> Fe ddaeth Tom i ben â symud ei gar heb ofyn i'w gymydog am help.
> Tom managed to move his car without asking his neighbour for help.

dros ben : i) over the head of someone ; beyond one's capability
> ii) exceedingly ; extremely
> i) Roedd gwneud gwaith caled dros ben Bob.
> Doing hard work was beyond Bob.
> ii) Roedd hi'n oer dros ben ddoe.
> It was extremely cold yesterday.

dros ei ben a'i glustiau : up to one's neck ; to an extreme degree
over his head and ears
> Cyn bo hir fe fydd e dros ei ben a'i glustiau mewn dyled.
> Before long he'll be up to his eyes in debt.

lled y pen : wide open
> Sylwais fod y drws yn agored led y pen.
> I noticed that the door was wide open.

mae hi yn y pen : the situation is hopeless ; irretrievable
> Dywedodd y meddyg ei bod hi yn y pen ac na ddeuai Elwyn o'r ysbyty'n fyw.
> The doctor said that the situation was hopeless and that Elwyn would not return from the hospital alive.

mewn penbleth : in a quandary ; perplexed
> Am fod cymaint o fechgyn da yn yr ysgol, roeddwn mewn penbleth p'un i'w ddewis.
> As there were so many good boys in the school, I was in a quandary which to choose.

mynd a'i ben iddo : to fall into ruins ; to go to rack and ruin
> Gan nad oedd neb yn gofalu amdano, roedd yr hen gapel yn cyflym fynd a'i ben iddo.
> As nobody was looking after it, the old chapel was rapidly falling into decay.

mynd ar ei ben i helynt   :   to walk into trouble ; to get into trouble
to go head-on into a controversy
Fe aeth Dewi ar ei ben i helynt yng nghyfarfod cyntaf y pwyllgor.
Dewi walked into trouble in the first meeting of the committee.

mynd dros fy mhen   :   i) to overrule
to go over my head   ii) to ignore ; not to notice
                iii) time which has gone by
i) Doeddwn i ddim yn cytuno â'r penodiad, ond aeth y prifathro
dros fy mhen a mynnu cael yr ymgeisydd hynaf.
I didn't agree with the appointment but the principal overruled
me and insisted on having the eldest candidate.
ii) Er bod llawer o sŵn yn y dosbarth bob amser, âi'r cwbl dros ben
Mr. Jones.
Although there was always a lot of noise in the classroom, Mr.
Jones ignored it all.
iii) Rydw i'n cofio'r rhyfel yn iawn, ond aeth llawer o ddyddiau
dros fy mhen ers hynny.
I well remember the war, but a great deal of time has elapsed
since then.

nerth ei ben (**cf. nerth ei geg**)   :   as loudly as possible
Pan welais i'r lleidr drws nesaf, fe waeddais i nerth fy mhen.
When I saw the thief next door, I shouted as loudly as possible.

o'm pen a'm pastwn fy hun   :   off my own bat; by personal initiative
Dydy e ddim yn gallu beio neb am iddo weithredu o'i ben a'i
bastwn ei hun.
He can blame nobody as he acted off his own bat.

pen punt a chynffon dimai   :   cheap swank ; someone who tries to give
a pound head and a halfpenny tail   a false impression
Ar yr olwg gyntaf, edrychai'n hardd yn ei chot ffwr ond gwyddai
pawb mai pen punt a chynffon dimai oedd hi.
At first glance she looked smart in her fur coat but everyone knew
that it wasn't a true impression.

penbaladr   :   from top to bottom ; the length and breadth
Bu e'n canu drwy Gymru benbaladr.
He sang throughout the length and breadth of Wales.

penchwiban : flighty ; light-headed ; empty-headed

Does ganddo ddim diddordeb ym merched penchwiban y dref.
He has no interest in the empty-headed girls of the town.

pendramwnwgl : head over heels

Fe gwympodd Ann bendramwnwgl i lawr y grisiau.
Ann fell head over heels down the stairs.

pendraphen : in confusion

Roedd y tŷ bendraphen ar ôl i'r plant ddychwelyd o'r coleg.
The house was in confusion after the children returned from college.

rhoi ar ben y ffordd : to advise ; to show someone how to do something
to place at the top of the road

Fe lwyddais i drwsio'r gadair ar ôl i saer y pentref fy rhoi i ar ben
y ffordd.
I managed to repair the chair after the village carpenter had told
me what to do.

rhoi fy mhen yn y dorch : to place myself in a difficult situation
to put my head in the noose

Fe roiais fy mhen yn y dorch pan es i ymyrryd yn y ffrae deuluol.
I placed myself in an awkward situation when I interfered in the
family quarrel.

rhoi llond pen : to tell someone off ; to tick off

Fe roiodd y plismon lond pen i'r gyrrwr am barcio ar y llinellau
melyn.
The policeman gave the driver a telling off for parking on the
yellow lines.

tynnu rhywun yn fy mhen : to cause someone to turn against me
(**also, "tynnu ffrae/gwaith/trafferth yn fy mhen"**)

Ddywedodd e ddim ar goedd rhag iddo dynnu pobl yn ei ben.
He didn't say anything publicly in case he involved himself in a
controversy.

yn ben set   :   to be stuck ; to be unable to solve a problem
Allwn i ddim symud y car. Roedd hi wedi mynd yn ben set arnaf.
I couldn't move the car. I was stuck.

yn y pen   :   i) at the outset ; in the beginning
           ii) at the end ; all up
i) Gan nad oes neb yn deall y pwnc mae'n well imi ddechrau yn y pen.
As nobody understands the subject I had better start at the beginning.
ii) Mae hi yn y pen arno gyda'i fusnes.
It's all up with him in his business.

yn y pen draw   :   in the long run
Yn y pen draw fe fydd agor y siop yn werth y drafferth.
In the long run opening the shop will be worth the trouble.

PENELIN (elbow)

codi penelin (cf. codi bys bach)   :   to tipple ; to drink excessively
to lift an elbow
Roedd pawb yn gwybod ei fod e'n hoffi codi penelin.
Everyone knew that he liked drinking.

eli penelin   :   elbow grease ; physical effort when undertaking a task
Petai e wedi defnyddio mwy o eli penelin, fe fyddai gwell graen ar y car.
Had he made more of an effort, the car would look better.

elin wrth elin   :   end to end ; next to one another
elbow to elbow
Roedd stondinau'r ffair elin wrth elin ar hyd y stryd.
The fair stalls were end to end along the street.

fel elin ac arddwrn   :   extremely close
like forearm and wrist
Roedd Dafydd a Jonathan fel elin ac arddwrn er gwaethaf gelyn-iaeth Saul.
David and Jonathan were extremely close friends despite Saul's enmity.

PERFEDD (entrails)

bwrw fy mherfedd : to reveal one's innermost thoughts ; to tell all
to throw up my guts
> Roedd y ferch yn teimlo'n well ar ôl bwrw ei pherfedd yng ngŵydd ei rhieni.
> The girl felt better after telling all in front of her parents.

mynd i berfedd rhywbeth : to examine thoroughly ; to understand the way something works ; to get to the heart of the matter
> Er mwyn mynd i berfedd y broblem, bu rhaid iddo ddysgu Lladin a Groeg cyn dechrau ar y gwaith o ddifrif.
> In order to get to the heart of the problem, he had to learn Greek and Latin before seriously embarking on the work.

o'i berfedd a'i bastwn (cf. **o'i ben a'i bastwn ei hun**)

perfedd nos (**perfeddion nos**) : the middle of the night ; at dead of night
> Hoffai gerdded y caeau berfedd nos.
> He liked walking through the fields at dead of night.

perfedd y wlad (**perfeddion gwlad**) : the heart of the country
> Roedden nhw'n byw ym mherfedd y wlad.
> They lived in the heart of the country.

wedi tynnu ei berfedd : having lost one's confidence
> Edrychai'r dyn yn ddigalon fel petai wedi tynnu ei berfedd ar ôl methu'r arholiad am y trydydd tro.
> The man looked downhearted and lacking in confidence after failing the examination for the third time.

SAWDL (heel)

ar ei hen sodlau : something which has grown old
on its old heels
> Erbyn hyn mae fy meic wedi mynd ar ei hen sodlau.
> By now my bicycle has become old.

cicio'i sodlau : to kick one's heels ; to have nothing to do ; to idle
to kick his heels

Gan nad oedd ganddo swydd roedd e'n cicio'i sodlau bob dydd.
As he didn't have a job he idled every day.

ei sodli hi : to hurry ; to walk quickly

Pan welodd e'r ffermwr yn dod, fe sodlodd hi adref.
When he saw the farmer coming he hurried off home.

rhoi tro ar ei sawdl : to leave suddenly
to turn on his heel

Ar ganol y ddadl rhoiodd dro ar ei sawdl a welais mohono byth
wedyn.
In the middle of the argument he turned on his heel and I never
saw him again.

sawdl y clawdd : the base of the hedge

Ar ôl meddwi fe gysgodd yn sawdl y clawdd.
After getting drunk he slept under the hedge.

wedi mynd ar ei sodlau : to tire greatly
having gone on his heels

Ar ôl iddo redeg dwy filltir roedden ni'n gallu gweld ei fod e wedi
mynd ar ei sodlau.
After running two miles we could see that he had tired greatly.

wrth sawdl rhywun (rhywbeth) : i) at one's heel
ii) close behind

i) Byddai ci'r bugail bob amser wrth ei sawdl.
The shepherd's dog was always at his heels.
ii) Does byth amser imi segura oherwydd wedi imi gyflawni un
gorchwyl mae un arall yn dilyn wrth ei sawdl.
I never have time idle because after completing one task another
immediately follows.

TAFOD (tongue)

â'i dafod yn ei foch   :   with his tongue in his cheek ; not meaning what
he says

Dywedodd wrth y ferch, â'i dafod yn ei foch, na allai ddod i'r
ddawns.
He told the girl, with his tongue in his cheek, that he couldn't come
to the dance.

ar dafod leferydd   :   by heart ; to recite from memory
on spoken tongue

Roedd e'n gallu adrodd darnau helaeth o'r ysgrythur ar dafod
leferydd.
He could recite large portions of scripture by heart.

ar dafod pawb   :   common talk ; known to all
on everybody's tongue

Sylweddolais fod hanes ein ffrae ar dafod pawb yn y pentref.
I realised that the story of our quarrel was common knowledge in
the village.

ar flaen fy nhafod   :   on the tip of my tongue

Doeddwn i ddim yn gallu cofio ei enw er ei fod e ar flaen fy nhafod.
I couldn't remember his name although it was on the tip of my
tongue.

cael blaen tafod llym   :   to receive a rebuke
to have the tip of a sharp tongue

Fe gafodd e flaen tafod llym y plismon am barcio ar y ffordd fawr.
He was told off by the policeman for parking on the main road.

cael pryd o dafod   :   to receive a ticking off ; to be rebuked

Fe gawson nhw bryd o dafod gan y wraig am gadw sŵn y tu allan
i'r capel.
They were told off by the woman for making a noise outside the
chapel.

136

cnoi tafod : to bite one's tongue ; to stop oneself from saying something

    Pan glywais ef yn dweud celwydd, fe ges i drafferth i gnoi fy nhafod.
    When I heard him telling lies, I found it difficult to hold my tongue.

deilen ar ei dafod : a stammer
a leaf on his tongue

    Fedrwn i ddim gofyn iddo ddarllen am fod ganddo ddeilen ar ei dafod.
    I couldn't ask him to read as he had a stammer.

gollwng tafod ar : to be cheeky ; to speak disrespectfully
to let one's tongue loose on

    Dydw i ddim yn hoffi clywed plentyn yn gollwng tafod ar ei rieni.
    I don't like hearing a child being cheeky to its parents.

heb flewyn ar ei dafod gw. blewyn

rhoi tafod drwg i rywun : to speak unkindly or insultingly
to give someone a bad tongue
(also, "rhoi blas fy nhafod i")
(*to give a taste of my tongue to*)

    Yn lle parchu'r gweinidog byddai'r llanc, bob amser, yn rhoi tafod drwg iddo.
    Instead of respecting the minister the youth always spoke insultingly to him.

tafod fel rasal : a sharp tongue
a tongue like a razor

    Er bod ganddi dafod fel rasal roedd hi'n garedig.
    Although she had a sharp tongue she was kind.

y tafod yn rhy fawr i'r geg : to speak indistinctly
the tongue too big for the mouth

    Ar ôl iddo feddwi roedd ei dafod yn rhy fawr i'w geg.
    After getting drunk he spoke indistinctly.

TALCEN (forehead)

bardd talcen slip : a rhymester ; an inferior poet
> Doedd e ddim yn gallu sgrifennu awdl. Dim ond bardd talcen slip oedd e.
> He couldn't write an ode in the strict metres. He was only a rhymester.

ei bwrw hi yn ei thalcen : to hit the nail on the head ; to say the right
to knock it on its forehead thing
> Pan enwais Dafydd fe gochodd a gwyddwn fy mod wedi ei bwrw hi yn ei thalcen.
> When I named Dafydd he blushed and I knew that I had hit the nail on the head.

fel talcen iâr : very thin ; with little meat on it
like a hen's forehead
> Roedd yr hwyaden fel talcen iâr o ystyried faint y talais amdani.
> The duck was extremely thin, considering how much I paid for it.

talcen anodd (caled) : a difficult task
> Hoffai ddysgu ond sylweddolai fod ganddo dalcen anodd gan fod y plant o gartrefi gwael.
> He liked teaching but he realised he had a tough task because the children were from poor homes.

talcen fel pen-ôl cyfreithiwr : a very large forehead
a forehead like a lawyer's backside
> Am fod ganddo dalcen fel pen-ôl cyfreithiwr, tybiai pawb ei fod e'n alluog.
> As he had a very large forehead, everybody assumed that he was clever.

talcen glo : the stall where the miner cuts his coal
> Gweithiai yn galed ar y talcen glo bob dydd i gadw ei deulu mawr.
> He worked hard at the coalface every day to keep his large family.

138

talcen tŷ : the gable end of a house

Roedd iorwg yn tyfu dros dalcen y tŷ.
There was ivy growing over the gable end of the house.

yfed rhywbeth ar ei dalcen : to drink something at a draught

Yfodd Gareth y peint ar ei dalcen a mynd adref.
Gareth drank the pint at a draught and went home.

TIN (backside)

dan din : underhanded ; treacherous

Gweithred dan din oedd beirniadu'r cadeirydd yn ei absenoldeb.
Criticising the chairman in his absence was an underhanded act.

estyn ar hyd ei din : to give something unwillingly

Fe ges i'r arian ganddo ond rhyw estyn ar hyd ei din a wnaeth.
I got the money from him but he gave it unwillingly.

hel ei thin : to chase men

Dyna ble mae hi ar hyd y dref bob nos yn hel ei thin.
There she is every night chasing men around town.

llyfu tin (pen ôl) : to flatter ; to scrape
to lick a backside

Fe fyddai'n llyfu tin rheolwr y gwaith ar bob cyfle gan obeithio y
câi well swydd drwy wneud hynny.
He used to flatter the works' manager at every opportunity, hoping
that he would obtain a better job by doing so.

mynd i Dre-din : to go to the wall ; to become bankrupt

Roedd e'n ddyn busnes llwyddiannus unwaith ond mae e wedi
mynd i Dre-din.
He was once a successful business man but has become bankrupt.

tin y sach : the end of one's resources
the backside of the sack

Gwyddai wrth godi'r arian o'r banc ei fod e wedi cyrraedd tin y sach ac o hyn allan y byddai'n rhaid iddo droi at ei deulu am help. As he withdrew the money from the bank he knew that he had reached the end of his resources and that he would have to turn to his family for help.

tindroi : to hesitate ; to stay in the same place

Penderfynwch ble rydych chi eisiau mynd, blant, yn lle tindroi fel 'na.
Decide where you want to go, children, instead of dawdling like that.

troi â'i din i'r gwynt : to refuse to face up to something ; to turn tail
to turn his backside to the wind

Pan welodd e fod eisiau carthu'r beudy, trodd â'i din i'r gwynt.
When he saw that the cowshed needed washing out he turned tail.

twll dy din : go to hell !

Os nad wyt ti'n barod i helpu, twll dy din !
If you aren't ready to help, go to hell !

twll tin pob Sais : to hell with every Englishman

Iechyd da pob Cymro. Twll tin bob Sais.
Good health to every Welshman. To hell with every Englishman.
[This is often offered as a light-hearted toast.]

twll tin y byd : the most horrible place imaginable
the backside of the world

Cwmsgwt yw twll tin y byd yn ôl rhai, ond rydw i'n hoffi byw yno.
According to some, Cwmsgwt is the most horrible place in the world, but I like living there

TROED/TRAED (foot/feet)

ar droed : afoot ; in view ; one's intention

Wn i ddim beth oedd ganddo ar droed pan fenthyciodd lawer o arian.
I don't know what he intended doing when he borrowed a lot of money.

ar flaenau fy nhraed : i) in a state of expectancy ; keyed up
on the tips of my feet   ii) at one's best

i) Roedden ni ar flaenau ein traed yn aros i'r arweinydd gyrraedd.
We were keyed up waiting for the conductor to arrive.
ii) Fe fydd rhaid i bob chwaraewr fod ar flaenau ei draed os ydyn ni'n mynd i ennill.
Every player will have to be at his best if we are to win.

aros ar draed : to stay up ; not to go to bed
to stay on one's feet

Roedd y plant yn cael aros ar eu traed yn hwyr adeg y gwyliau.
The children were allowed to stay up late during holiday time.

cadw ei draed ar y ddaear : not having lost one's head ; to keep one's
to keep his feet on the earth   feet on the ground

Er gwaethaf clod y beirniaid, mae e wedi cadw ei draed ar y ddaear.
Despite the critics' praise, he has kept his feet on the ground.

cael fy nhraed dan y bwrdd : to suceed in getting a wife
to get my feet under the table

Fe fu'n mynd nôl ac ymlaen at weddw Siams am flynyddoedd cyn llwyddo o'r diwedd i gael ei draed dan y bwrdd.
He went back and fore to James's widow for years before succeeding to marry her.

cael traed : to disappear ; to get lost
to have feet

Wn i ddim ble mae'r papur. Mae e siwr o fod wedi cael traed.
I don't know where the paper is. It has walked off !

colli ei draed : to lose one's good name
to lose his feet
> Ar ôl cael ei ddal yn dwyn o'r siop mae e wedi colli ei draed yn arw.
> After being caught stealing from the shop he has lost his good name.

dan draed : oppressed
under feet
> Daeth De Gaulle i'r adwy pan oedd Ffrainc dan draed adeg y rhyfel.
> De Gaulle came to the rescue during the war when France was being oppressed.

ffitio'r gwadn fel bo'r troed : to cut the suit according to the cloth ;
to fit the sole according to the foot   to live according to one's means
> Fe hoffwn i Rolls Royce ond rhaid ffitio'r gwadn fel bo'r troed.
> I'd like a Rolls Royce but I must cut the suit according to the cloth.

gwneud troed i : to make for ; to make a beeline for
> Fe wnâi droed i dafarn ar bob cyfle a gâi.
> He would make a beeline for a public house at every opportunity.

hel fy nhraed : to go ; to start
> Edrychwch ar y cloc. Mae'n well inni hel ein traed ar unwaith.
> Look at the clock. We had better go at once.

lled troed : a very small piece of land
the width of a foot
> Mae llawer o dir gan 'nhad ond nid yw'n debyg y caf led troed ohono.
> Father has a lot of land but it's unlikely I'll get one bit of it.

llyfu traed (gw. llyfu tin)

rhoi traed yn y tir : to make haste ; to hurry
to put one's feet in the ground
> Bydd rhaid imi roi 'nhraed yn y tir os ydw i'n mynd i ddal y trên.
> I shall have to hurry if I am going to catch the train.

rhoi troed i lawr : to put one's foot down ; to insist

Fe roiodd ei throed i lawr bod rhaid i'r plant fynd i'r gwely'n gynnar.

She insisted that the children went to bed early.

rhoi troed ynddi : to make a mess of things ; to put one's foot in it

Fe roiodd ei droed ynddi pan ddywedodd fod ei dad gartref.

He put his foot in it when he said his father was at home.

rhoi'r troed gorau ymlaenaf : to hurry ; to put the best foot forward

Bydd rhaid iti roi'r troed gorau ymlaenaf os wyt ti'n bwriadu dal y trên.

You'll have to put your best foot forward if you intend to catch the train.

te fel troed stôl : very strong tea
tea like the leg of a stool

Fe yfen nhw bob amser de fel troed stôl.

They always drank extremely strong tea.

teimlo (cael) fy nhraed danaf : i) to stand on one s feet
to feel my feet under me   ii) to begin to succeed ; to find one's feet

i) Ar ôl cael fy nhynnu'n ddianaf o'r car a ddymchwelwyd, roedd hi'n braf teimlo fy nhraed danaf unwaith eto.

After being pulled unharmed from the car which overturned, it was nice to stand on my feet once more.

ii) Roedd e'n dechrau teimlo ei draed dano ar ôl bod ar y pwyllgor am chwe mis.

He was beginning to find his feet after being on the committee for six months.

traed chwarter i dri : duck-toed ; splay-footed
quarter to three feet

Edrychai'r hen ŵr yn drist yn ymlusgo ar hyd y stryd â'i esgidiau tyllog am ei draed chwarter i dri.

The old man looked sad shuffling along the street with his splayed feet in holed shoes.

troi fy nhraed   :   i) to go ; to wander freely
to turn my feet   ii) to loiter ; to spend time gossiping
    i) Roedd hi'n hoffi mynd i droi ei thraed o gwmpas y dre bob bore.
    Every morning she liked to wander around the town.
    ii) Cerddai'r hen wraig ar hyd y stryd gan droi ei thraed o flaen
    ffenest pob siop.
    The old lady would walk along the street lingering before every
    shop window.

tynnu fy nhraed ataf   :   to die
to draw my feet towards me
    Mae'r iaith yn prysur dynnu ei thraed ati mewn rhai ardaloedd.
    The language is dying rapidly in some areas.

un troed yn y bedd   :   unlikely to live long ; one foot in the grave
    Bydd e'n ffôl i ystyried priodi nawr a ganddo un troed yn y bedd.
    He'll be foolish to consider getting married now as he has one foot
    in the grave.

wedi syrthio ar ei draed   :   to be lucky ; to land on one's feet
    Mae e wedi syrthio ar ei draed ar ôl priodi i mewn i'r teulu yna.
    He's been lucky after marrying into that family.

wrth droed   :   i) at the foot of (literally)
                        ii) at the foot of (metaphorically)
    i) Mae Llanberis wrth droed Yr Wyddfa.
    Llanberis is at the foot of Snowdon.
    ii) Bu Paul yn dysgu wrth draed Gamaliel.
    Paul learnt at the feet of Gamaliel.

yn draed moch ar (gw. mochyn)

TRWYN (a nose)
â'i drwyn ym musnes pawb   :   a nosey person
his nose in everyone's business
    Roedd y prifathro bob amser â'i drwyn ym musnes aelodau'r staff.
    The headmaster was always poking his nose into the business of
    members of staff.

144

â'i drwyn yn y tân : of someone who always feels cold ; on top of the
with his nose in the fire fire

Eisteddai yn y parlwr drwy'r gaeaf â'i drwyn yn y tân.
He would sit in the parlour throughout the winter on top of the
fire.

ar draws ei drwyn : to his face ; straight
across his nose

Dywedais beth roeddwn i'n ei feddwl ohono ar draws ei drwyn.
I told him what I thought of him to his face.

cadw trwyn ar y maen : to keep one's nose to the grindstone ; to keep
someone working hard and ceaselessly

Er nad oedd Emyr yn hoff iawn o waith ysgol, fe lwyddodd yr
athro i gadw ei drwyn ar y maen.
Although Emyr wasn't fond of schoolwork, the teacher succeeded in
keeping his nose to the grindstone.

cysgu ar ei drwyn : to be very tired ; to fall to sleep
to sleep on his nose

Am ei fod wedi bod yn gwylio'r teledu'n hwyr y noson gynt, roedd
e'n cysgu ar ei drwyn yn yr ysgol.
As he had been watching television late the previous night, he was
very tired in school.

dan fy nhrwyn : under my nose ; very close
Fe gipiodd y lleidr y pwrs o dan ei thrwyn hi.
The thief snatched the purse from under her nose.

hen drwyn : a nosey person
an old nose

Gwyddai pawb yn y pentref mai hen drwyn oedd Nanw, yn
busnesa ar bob cyfle.
Everyone in the village knew that Nanw was an old busybody,
interfering at every opportunity.

talu drwy fy nhrwyn : to pay through the nose ; to pay an exorbitant price

Fe dalodd e drwy ei drwyn am y car o ystyried ei fod e mor hen.
He paid an exorbitant price for the car considering that it was so old.

taro fy nhrwyn yn : to see at close hand
to bump my nose into

Dydw i ddim wedi ei gweld hi ers dyddiau mebyd. Prin y byddwn yn ei 'nabod petawn i'n taro fy nhrwyn ynddi.
I haven't seen her since the days of my youth. I'd hardly recognise her if I bumped into her.

troi trwyn ar : to refuse ; to ignore ; to look with contempt at ; to *to turn one's nose on* dislike

Yn anffodus, roedd y plant yn troi eu trwynau ar ginio'r ysgol.
Unfortunately, the children disliked school dinners.

troi trwyn rhywun : to foil ; to thwart someone's intentions
to twist someone's nose

Fe ddaliodd i godi ei gynnig yn yr arwerthiant dim ond i droi trwyn Tom Jones, ei elyn pennaf, oedd am brynu'r tŷ.
He continued to raise his bid in the auction only to thwart Tom Jones, his arch enemy, who wanted to buy the house.

wysg ei drwyn : unwillingly ; against his will

Aeth y plentyn i'r ysgol wysg ei drwyn.
The child went to school against his will.

WYNEB (face)

dal wyneb : to pretend to like someone ; to be polite
to hold face

Doedd gen i ddim byd i'w ddweud wrthi. Dal wyneb o ryw fath, ond dyna'r cwbl.
I had nothing to do with her. I was sort of civil with her, but that's all.

derbyn wyneb : to pay respect to someone because of wealth or standing ; to be biased

Byddai Tom bob amser yn barod i dderbyn wyneb i reolwr y gwaith er ei les ei hun.

Tom was always ready to pay respect to the works' manager for his own good.

di-dderbyn-wyneb : impartial ; unbiased ; without fear or favour

Er bod rhai yn ceisio dylanwadu ar y beirniad, traethai ei farn yn ddi-dderbyn-wyneb bob amser.

Although some tried to influence the adjudicator, he always expressed his opinion impartially.

i'r gwrthwyneb : on the contrary

Dydy e ddim yn dynn o gwbl. I'r gwrthwyneb, mae e'n rhy hael yn fy marn i.

He isn't at all tight. On the contrary, he is, in my opinion, too generous.

wynebgaled : barefaced ; brazen
hard faced

Roedd hi'n wynebgaled yn gofyn imi am arian a minnau heb waith.
She was brazen asking me for money as I was out of work.

wyneb gan : to be cheeky or forward
to have face

Roedd wyneb ganddo fe i ofyn y fath beth.
He had cheek to ask such a thing.

wyneb i waered : upside down
face down

Pam roedd y bwced wyneb i waered ar lawr y gegin ?
Why was the bucket upside down on the kitchen floor ?

wyneb yn wyneb : face to face

Dodwch y darnau wyneb yn wyneb cyn eu cysylltu.
Place the pieces face to face before joining them.

yn wyneb y ffeithiau : in face of the facts ; going on the evidence
Yn wyneb y ffeithiau, mae rhaid ei fod e'n euog.
In face of the facts, he must be guilty.

YSGWYDD (shoulder)

â'i lygaid dros ei ysgwydd : someone who is silently looking for some-
his eyes over his shoulder thing he seeks
Byddai bob amser yn cerdded drwy'r farchnad â'i lygaid dros ei
ysgwydd yn gobeithio codi bargen.
He would always walk through the market on the look out for a
bargain.

dros ysgwydd y blynyddoedd : back over the years
over the shoulder of the years
Mae'n braf edrych nôl dros ysgwydd y blynyddoedd a chofio ein
hieuenctid.
It's nice to look back over years past and remember our youth.

gair dros ysgwydd : a promise one doesn't intend fulfilling
a word over the shoulder
Byddai'r cynghorwr yn barod iawn i roi gair dros ysgwydd, yn
enwedig ar adeg etholiad.
The councillor was ready to make empty promises, especially at
election time.

gofyn dros ei ysgwydd : an invitation with the intention of pleasing
asking over his shoulder someone

pont ysgwydd : collar bone
the bridge of the shoulder
Torrodd Ben bont ei ysgwydd wrth chwarae rygbi.
Ben broke his collar bone playing rugby.

trybedd ysgwydd : shoulder blade
Wrth aredig y cae daethon nhw o hyd i drybedd ysgwydd, ond
roedd absenoldeb unrhyw esgyrn eraill yn ddirgelwch.
In ploughing the field they found a shoulder blade, but the absence
of any other bones was a mystery.

148

ysgwydd dan faich : to be ready to help
to place a shoulder under a burden

> Roedd Tom bob amser yn barod i roi ysgwydd dan faich ar adegau prysur yn y siop er mwyn helpu ei frawd.
> Tom was always ready to shoulder the burden at busy periods in the shop in order to help his brother.

ysgwydd yn ysgwydd : shoulder to shoulder ; together

> Safai'r milwyr ysgwydd yn ysgwydd yn barod i wynebu'r gelyn.
> The soldiers stood shoulder to shoulder ready to face the enemy.

(Y) STUMOG/BOLA (stomach/belly)

bola sy'n magu cefn : it's eating that makes you strong

> Bwytwch bopeth, blant, gan taw bola sy n magu cefn.
> Eat everything, children, as eating makes you strong.

bola'r goes : the calf of the leg
the belly of the leg

> Roedd ganddo boen ym mola ei goes.
> He had a pain in the calf of his leg.

bron â thorri ei bol : anxious to know a secret
almost breaking her belly

> Mae hi bron â thorri ei bol eisiau gwybod ble rydw i'n byw.
> She's dying to know where I live.

bwrw ei fol : to get something off one's chest ; to tell someone of your
to throw up his stomach troubles

> Teimlais yn well ar ôl mynd adref at mam a chael cyfle i fwrw fy mol.
> I felt better after going home to mother and having an opportunity to tell her of my problems.

cael llond bol : i) to have enough in a pleasant sense
to have a bellyful   ii) to have enough in an unpleasant sense
     i) Fe ges i lond bol o chwerthin yn y theatr.
     I laughed a great deal in the theatre.
     ii) Fe gafodd e lond bol ar wlcidydda a phenderfynodd ymddeol.
     He had enough of involvement in politics and decided to retire.

colli stumog : to lose one's appetite
to lose stomach
     Fe gollais fy stumog yn llwyr yn yr ysbyty.
     I completely lost my appetite in hospital.

dos i grafu dy fol ag ewinedd dy draed : a reaction to an improbable
go to scratch your belly with your toenails   story ; pull the other leg
     Dydw i ddim yn dy gredu di. Dos i grafu dy fol ag ewinedd dy
     draed.
     I don't believe you. Pull the other one !

hel eu boliau : to eat excessively ; to be gluttonous
     Dyna i gyd wnaethon nhw dros y Nadolig oedd hel eu boliau.
     All they did over Christmas was to eat excessively.

magu bol : to grow fat ; to put on weight
to nurse a belly
     Ar ôl rhoi'r gorau i chwarae rygbi fe fagodd e fol.
     After giving up playing rugby he put on weight.

poen bol : stomach ache
     Ar ôl bwyta gormod o ffrwythau fe gafodd e boen bol.
     After eating too much fruit he had belly ache.

prydydd bol clawdd : a hedgerow rhymester
     Mae pawb yn yr ardal yn hoff o'i waith er taw prydydd bol clawdd
     yw e mewn gwirionedd.
     Everyone in the district likes his work although he is really only a
     hedgerow rhymester.

stumog yn : to have an opinion of oneself ; haughty ; chesty

Er ei bod hi'n dwp mae ganddi ddigon o stumog ynddi.
Although she is dull she has a high opinion of herself.

stumog at : to dislike i) a thing
a stomach for ii) a person

i) Ar ôl ymweld â lladd-dŷ doedd gen i ddim stumog at gig am dipyn.
After visiting a slaughterhouse I went off meat for a while.
ii) Ers iddo ymadael â'i wraig does gen i fawr o stumog ato.
Since he left his wife, I haven't much time for him.

y bola a'r cefn : food and clothing
the belly and the back

Dim ond ichi ofalu am fola a chefn y plant bydd popeth yn iawn.
If you only take care of the children's food and clothing, all will be well.